Pierre Beaucage

IMAGINAIRES MEXICAINS

Voyages dans le temps et l'espace

MUSÉE DE LA CIVILISATION
Québec
FIDES

Cet ouvrage a été réalisé dans le cadre de l'exposition *Imaginaires mexicains,* présentée au Musée de la civilisation du 20 mai 1998 au 14 février 1999, une co-production du Consejo Nacional para la Cultura y las Artes du Mexique, par l'intermédiaire de la Dirección General de Culturas Populares et du Museo Nacional de Culturas Populares (Mexico), et du Musée de la civilisation (Québec).

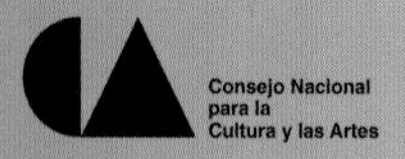

Le Musée de la civilisation remercie pour sa participation financière à l'exposition *Imaginaires mexicains* le ministère de la Culture et des Communications du Québec, le ministère des Relations internationales du Québec et le Groupe La Mutuelle.

Publication sous la direction de
Marie-Charlotte De Koninck

Auteur
Pierre Beaucage

Préface
Francisco Reyes Palma

Encadrés
José Lopez Arellano
Pierre Beaucage

Collaboration éditoriale
César Carrillo Trueba
Dominique Raby

Recherche iconographique
Monique Lippé

Traduction
Communication
Espagnol-Français CEF inc.

Coordination à l'édition
Pauline Hamel

Conception graphique
Norman Dupuis

Infographie
Marc Brazeau
Norman Dupuis

Pelliculage
Compélec

Impression
Imprimerie La Renaissance

Données de catalogage avant publication (Canada)

Beaucage, Pierre, 1942-

Imaginaires mexicains. Voyages dans le temps et l'espace

(Collection Images de sociétés)

Publ. en collab. avec: Musée de la civilisation à Québec.

ISBN 2-7621-2015-2

1. Mexique - Miscellanées.

I. Musée de la civilisation (Québec). II. Titre. III. Collection.

PS8553.E169V69 1998 C848'.54 C98-940331-9
PS9553.E169V69 1998
PQ3919.2.B42V69 1998

Dépôt légal: 2e trimestre 1998

Bibliothèque nationale du Québec
Bibliothèque nationale du Canada

Le Musée de la civilisation est subventionné par le ministère de la Culture et des Communications du Québec.

Les Éditions Fides remercient le ministère du Patrimoine canadien du soutien qui leur est accordé dans le cadre du Programme d'aide au développement de l'industrie de l'édition.

Les Éditions Fides remercient également le Conseil des Arts du Canada et la Société de développement des entreprises culturelles du Québec (SODEC).

Avant-propos

Évitant les écueils de la séduction ou du traité savant, cet ouvrage se taille brillamment une place entre la grande tradition baudelairienne et celle des premiers explorateurs, ethnographes et autres esprits curieux qui décrivirent le Nouveau Monde. Laissons-nous entraîner par cette invitation au voyage dans les imaginaires mexicains. Prêtons-nous au plaisir des mots et empruntons, avec Pierre Beaucage, la voie littéraire vers le pays de la connaissance. Manifestement à la pointe du savoir anthropologique contemporain, son récit reprend, sans arrogance ni complaisance, les connaissances cumulées sur le Mexique tout en laissant émerger les paroles et les interprétations divergentes. Il s'adresse à un lecteur sensible et intelligent, l'encourageant à se dépouiller des images fortes, belles et oniriques... mais si univoques du Mexique publicitaire.

Ce livre, qui accompagne notre exposition sur le Mexique, s'inscrit dans la démarche du Musée de la civilisation vers une meilleure compréhension du monde et vers une plus grande accessibilité de la diversité culturelle. Ce monde riche, multiple, complexe, paradoxal et souvent ambigu. Ce monde qui sort de l'ordinaire, qui secoue, interroge et remet en question les habitudes séculaires vous est offert. Il est à votre porte, à votre portée.

Depuis presque dix ans déjà, le Musée a développé des collaborations intimes avec plusieurs partenaires internationaux. Citoyen du monde, il l'est devenu. Comme toute nouvelle identité, celle-ci s'est forgée au prix d'efforts et de coups de foudre, de deuils et de renaissances. Bien souvent, il a dû adapter ses manières à celles des autres, s'expliquer et écouter tout à la fois. Le projet sur la culture mexicaine, qui inclut l'exposition, l'ouvrage et plusieurs autres activités culturelles et éducatives, en est un exemple. Aussi invitons-nous le lecteur à prendre connaissance de l'interprétation du rôle des musées dans la construction de l'imaginaire par l'un des grands critiques mexicains de la culture et des arts, Francisco Reyes Palma. Son texte, bien que court, nous fait part d'une vision lucide et colorée des rapports culturels qui, s'ils se situent au Mexique, sont aussi bien universels.

ROLAND ARPIN
Directeur général

Avant-propos

Depuis déjà presque cinq siècles, et pour bien des raisons, le Mexique exerce un attrait sur le reste de la planète. Cependant, on ne nous voit pas toujours avec objectivité, puisque prédominent parfois des stéréotypes éloignés de la vérité. Mais, à l'occasion, la réalité dépasse la fiction.

L'importance de la diversité écologique mexicaine n'a d'égal que celle de sa diversité culturelle. Le territoire national présente une multitude d'environnements naturels, lesquels sont malheureusement fréquemment agressés par le développement industriel, par l'explosion urbaine et par la pauvreté: des humides plaines côtières – toujours chaudes et fertiles – jusqu'aux déserts de cactacées où il peut y avoir en 24 heures des écarts de température de 40 degrés. Boisés variés, volcans aux neiges éternelles dont les flancs sont vert tropique en permanence, plages, forêts, champs agricoles, friches arides et rocheuses: le Mexique est une terre de contrastes.

La pluralité culturelle du pays s'avère très importante comme en témoigne le nombre de langues indigènes vivantes, ayant traversé plusieurs siècles. Toutefois, plus de 90 pour cent des Mexicains sont métis et parlent espagnol. Mais on ne traite pas seulement de pluralité ethnique; la diversité écologique génère des différences significatives chez les personnes, dans leur tempérament, dans leurs coutumes, dans leur culture populaire (quoiqu'il existe aussi, évidemment, des archétypes de caractère national). De plus, il subsiste une leçon venant de lointaines époques: le dialogue de l'homme avec la nature, l'harmonie avec le milieu ambiant.

Cette exposition apporte des éléments empruntés à hier et à aujourd'hui afin de mieux comprendre les Mexicains modernes. À travers l'archéologie, l'histoire coloniale et celle des XIXe *et* XXe *siècles, qui sont autant d'outils muséographiques, on y montre un pays vivant, vigoureux, effervescent, majoritairement composé de jeunes, et riche de son passé millénaire. Les traditions ancestrales alimentaires, religieuses, d'habitation et de moeurs aboutissent et se maintiennent chez les Mexicains contemporains, sans distinction. En témoignent l'art et l'artisanat : les couleurs, les formes, les textures, les saveurs issues de racines lointaines continuent encore maintenant à jouer un rôle dans la vie quotidienne.*

L'identité nationale mexicaine est la somme de différences multiples dues à des racines socio-économiques très variées. Elle est aussi faite de constantes caractérologiques (lesquelles projettent souvent une image exagérée à l'extérieur du pays). Imagination ou fantaisie populaire, tempérament ludique et joyeux, mysticisme et autres signes de l'imaginaire mexicain *se mettent en évidence pour devenir le reflet du métissage, syncrétisme de cultures et d'époques.*

José N. Iturriaga
Director General
Dirección General de Culturas Populares

Préface

Francisco Reyes Palma

À la mémoire de Cristina Payán

La notion d'«imaginaire», loin de se référer à la fonction iconique des images, que ce soit par rapport à la reproduction du réel ou encore au spectre illusoire des idéologies, nous installe dans le mécanisme partagé de la représentation et de son transfert aux pratiques collectives. Théâtralité à l'état pur, imaginaire dans la représentation devenue acte, pouvoir fictionnel d'une modalité créative dont le scénario n'est autre que l'ensemble social.

En tant que «machine» symbolique, l'imaginaire agit comme dispositif de pouvoir, capable de séduire et de subjuguer en vue d'obtenir le contrôle de la vie, tant dans ses dimensions individuelles que communautaires. Ce n'est donc pas un hasard si les espaces imaginaires instituent et institutionnalisent le social, ni que l'effet de certitude provoqué par eux soit l'aspect plus subtil de la domination qui, avide de consensus et de légitimité, générait l'illusion d'une structure.

Le flux croissant de grandes expositions internationales, initiées par le Mexique après le traumatisme révolutionnaire de 1910, en constitue un exemple frappant. Par elles, le musée mexicain a permis au groupe arrivé au pouvoir d'arborer un phénomène d'ancestralité teinté d'essencialisme. La création de cette illusion s'effectue par la réduction de la trame complexe des événements et des manifestations culturelles à une séquence historique sans fissures; une sorte de grandeur héréditaire où se sont accumulées les splendeurs d'autres temps, et dont les effets éblouissent encore l'œil étranger par leurs contenus d'étrangeté exotique et primitiviste. C'est là une opération équivalente à celle réalisée par le musée européen avec sa prémisse d'universalité.

Autel de la Vierge de Guadalupe.
Bouteille de coca-cola.
Photo : Luis Pérez Falconi
et Óscar Necochea.

L'institution muséale, dans sa forme anthropologique, historique ou artistique, a développé depuis le XIXe siècle l'étonnante capacité d'ordonner les objets et d'articuler les idées dans des ensembles donnant l'impression d'une totalité. Ceci a contribué à nourrir l'imaginaire paradigmatique de la modernité : l'État-Nation. Mais comment exposer une nation sans tomber dans la grandiloquence de l'idéologie du progrès telle que la muséographie officielle l'a présentée ?

L'imaginaire, en tant qu'outil de production de valeur et de différence, affirme les identités en marginalisant l'« autre ». Est-ce par hasard que le terme « Indien » ne renvoie pas à une acception imaginaire où les nations et les cultures originaires de tout un continent perdent le droit d'être nommées ? En général, quand le musée mexicain souligne les composantes indienne et européenne, il passe sous silence les hérédités africaine, islamique et asiatique, fruits de la perméabilité des frontières externes et de la mobilité des frontières internes. Tant que le Mexique ne reconnaîtra pas explicitement la présence multiculturelle dans toute son ampleur, on ne pourra y voir une société inclusive.

Encore aujourd'hui, l'alternative curatoriale maintient l'ambiguïté : comment parler du « nous » sans usurper la parole de l'« autre », alors que nos propres mythologies drapent la réalité dans l'arrogance du modèle rationnel de la modernité ? D'où l'intérêt de s'interroger sur notre caractérisation de l'autre : quelles coordonnées spatio-temporelles le discours muséographique applique-t-il dans la description de ce dernier ? Le poids de l'imaginaire culturel sur l'ordre et le contrôle symbolique du temps et de l'espace collectifs a mené à considérer l'Indien d'aujourd'hui ainsi que d'autres groupes marginaux comme des êtres sans temporalité, dont la vie matérielle est vue comme une sorte de sécrétion d'un autre temps. De même, le «peuple», cet autre dérivé de l'imaginaire moderne, chargé d'un romantisme originel, se dénature dans un stéréotype qui suppose une vie communautaire anonyme, marquée par l'absence de tout cachet individuel.

D'autre part, les dispositifs de consécration de ce qui est considéré comme artistique et de l'adoration fétichiste de l'art ont peuplé de zones voilées l'art populaire, cette production vive maintenue en réserve. De même, le culte de l'œuvre artistique a servi d'alibi pour nier toute lueur de génie créateur aux sphères du travail et des métiers. Toutefois, dans les imaginaires du quotidien se produisent sans cesse des manifestations spontanées de créativité situées en dehors du code de la «grande culture». Ainsi, le vêtement, l'architecture et la nourriture engendrent leurs propres imaginaires qui, quand ils s'associent aux rituels et aux célébrations, se déploient au maximum. Ainsi, le don partagé va à contre-courant des systèmes de différenciation sociale établis; alors que l'excès et la joie mettent en question la mesquinerie et la logique de l'accumulation capitaliste.

Par l'astuce de beaux montages, la routine muséographique fait passer des affirmations chargées d'un grand mépris: on présente les groupes subalternes comme des êtres inaptes à la modernité, comme un passé éternel. Et pourtant, dans des pays comme le Mexique, on pourrait parler d'une «modernité divergente» qui résiste aux modèles imposés et qui se développe à partir des nouvelles manières de sélectionner les traditions émergeant de matrices culturelles hétérogènes, créées grâce à la diversité des présences ethniques, certaines millénaires. Celle-ci est aussi une modernité caractérisée par l'efficacité de ses procédés d'appropriation, de métissage et de changement culturel.

Encore une fois, le musée persiste trop souvent à nier cette modernité en refusant de collectionner ses signes matériels. C'est ainsi que l'on met de côté d'innombrables exemples spontanés où, sous l'égide du jeu, tradition et modernité sont réunies. C'est alors que l'on néglige des imaginaires aussi fertiles que celui de la nation populaire qui sait transformer un héros de la patrie en une simple poterie, ou encore la fine broderie d'un beau vêtement de noce *mazateco*, en emblème national.

Il y a des signes qui affirment des valeurs et des identités, mais quand ils s'enracinent dans le noyau du quotidien, ils atteignent leur maximum de puissance. D'autre part, on rencontre de nouveaux usages des emblèmes de la modernité qu'instauraient des espaces insolites : quand une femme *Otomí* brode minutieusement le logotype de *Pepsi* sur une blouse, les aspects mercantiles de la réclame publicitaire s'effacent au profit de la perception chromatique. Même les cultes antiques interviennent dans ce bricolage culturel : la minuscule capsule transformée en niche pour accueillir la ferveur guadalupéenne, la bouteille de *Coca-Cola* métamorphosée en temple de la reine céleste de *Tonantzin-Guadalupe*, le réfrigérateur récupéré par des émigrants mexicains aux États-Unis, qui transfiguraient un objet jeté par la société de consommation en un prodigieux autel illuminé par des ampoules vacillantes selon le rythme des prières. Voies de resacralisation des objets, mais aussi d'humanisation d'un environnement écrasé par le matérialisme.

Pot à fleur représentant Benito Juárez. Terre cuite. Photo : Luis Pérez Falconi et Óscar Necochea.

Bref, l'exposition ethnographique ainsi que celle qui met en scène des cultures populaires, maintient l'argument de l'« autre » interne comme résidualité : êtres excentriques, sans temps ni subjectivité, condamnés à répéter la tradition. Or, on l'a vu, c'est dans l'imaginaire que se produisent les relations de sens et se créent des zones de signification des signes. Quel meilleur endroit pour projeter l'aspiration et le désir que ce réseau multiple de référents symboliques, à partir duquel le monde social acquiert de l'éclat par rapport au passé et au futur, à la mémoire et à l'oubli, à la longue durée et au quotidien, au mythe et à la raison ?

Blouse otomí. Broderie avec insigne de *Pepsi*. État de Mexico. Photo : Luis Pérez Falconi et Óscar Necochea.

Véritable laboratoire culturel, lieu de rencontre des traditions antiques d'un étonnant pouvoir de persistance qui cohabitent avec des stratégies culturelles inédites, chargées d'un énorme potentiel de créativité, raffinement et force, le processus mexicain de création populaire se maintient en grande effervescence, à la différence du processus de mimétisation et de vulgarisation qui cherchent à les dépouiller de sens et de forme, et des schémas qui essaient d'emprisonner les imaginaires collectifs dans des modèles médiatiques unidimensionnels et homogénéisants de la civilisation mécanique, très actifs au Mexique.

En pleine ère de la globalisation marchande et du trafic des identités revitalisatrices des cultures métropolitaines, on observe un renforcement des imaginaires disrupteurs. Peu importe que le moyen employé unisse l'Internet à la sagesse ancestrale, tel ce nouveau rituel où des communautés indiennes avec leurs visages recouverts de masques modernes et de foulards noués, élaborent une poétique du langage direct et résistent pacifiquement au harcèlement et aux rhétoriques trompeuses.

Tandis que veillent les armes, ces communautés attendent que les mots recommencent à désigner les êtres et les objets, au lieu de les dissiper, d'écourter leur existence et de les ensevelir dans l'artifice.

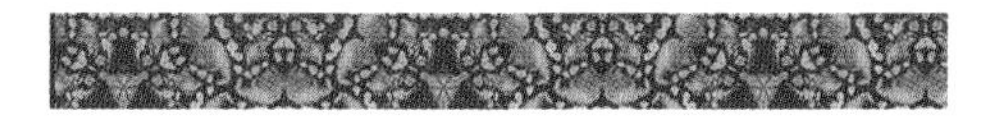

Introduction

Au Mexique, le possible n'est guère vraisemblable.

Désiré Charnay,
Le Mexique 1858-1861

PAYS DE MYTHES ET DE FRONTIÈRES

Le Mexique est l'un des quelques pays du Sud (avec le Brésil, l'Inde, la Chine et quelques autres) qui occupe depuis longtemps une place dans l'imaginaire occidental. Le mystère des civilisations précolombiennes, les richesses fabuleuses extraites par les Espagnols, les histoires épiques de la Conquête et de la Révolution, la diversité des cultures autochtones, ont suscité l'intérêt des savants, comme Alexandre von Humboldt, autant que des poètes, comme Antonin Artaud. Aujourd'hui comme hier, le Mexique se présente au voyageur comme une mosaïque de multiples espaces sociaux et culturels, espaces pensés autant qu'occupés, séparés par des frontières matérielles et symboliques, en même temps qu'unis par des racines historiques particulièrement profondes.

Au nord du pays, la frontière internationale, loin de refermer le Mexique sur lui-même, était déjà devenue, longtemps avant l'Accord de libre-échange nord-américain (ALÉNA), un lieu de passage important pour les gens, les biens, les symboles, processus stimulé, plutôt qu'inhibé, par les différences économiques, sociales et culturelles entre le Mexique et les États-Unis. Mais à côté de ce que l'écrivain Carlos Fuentes a appelé «la frontière de cristal[1]», d'autres frontières et d'autres médiations existent et ont existé, non moins réelles bien que plus difficilement palpables. L'environnement naturel,

Telle que vue par Désiré Charnay lors d'une de ses expéditions entre 1857 et 1882. Ces magnifiques gravures alimentaient l'imaginaire des Européens à la fin du XIXe siècle.

«FAÇADE NORD DU COUVENT DE CHICHEN-ITZA». Illustration tirée de Désiré Charnay, *Ancient Cities of the New World*, Londres, 1887.

Le Mexique offre un territoire riche en contrastes.

PLAGE DE TULUM, QUINTANA ROO ET DÉBARCADÈRE MAYA (à l'arrière-plan).
Photo : Edward Dawson, 1993.

d'abord, est extrêmement contrasté ; du demi-désert du nord à la forêt tropicale du sud-est, du plateau central froid aux côtes torrides, des pinèdes pluvieuses des *sierras* aux maquis du Yucatan. Cette coexistence de milieux très distincts a favorisé depuis l'époque précolombienne l'éclosion des particularismes régionaux, en même temps qu'elle stimulait les échanges et les migrations entre les régions.

À ces frontières naturelles, la conquête espagnole en a superposé d'autres, d'ordre ethnique et culturel cette fois, frontières qui vont varier au fil des siècles, tout comme leurs termes de références. Le Mexique colonial a d'abord opposé les Amérindiens (*indios, naturales*) aux Espagnols (*españoles*). Très tôt la structure s'est diversifiée avec l'apparition des Métis (*mestizos, ladinos*), puis l'arrivée des Noirs (*negros, morenos*), pendant que les descendants des Espagnols nés au Mexique (*criollos*, « Créoles ») se démarquaient progressivement des nouveaux immigrants, appelés péjorativement *gachupines*. Au plan géopolitique, la Conquête, l'Indépendance et la Révolution renforceront constamment la tension, politique et économique, entre l'ancienne capitale aztèque, Mexico (où habite présentement un

Mexicain sur cinq) et les régions, surtout les côtes tropicales, tournées vers l'Europe et l'Extrême-Orient. En outre, le poids croissant des États-Unis a entraîné une nouvelle polarité, entre le Centre et le Sud, à forte composante paysanne, amérindienne et métisse, et le Nord, de peuplement plus récent, où le capitalisme minier, agricole et industriel prédomine.

Ces multiples clivages chevauchent et recoupent une frontière sociale très marquée entre des classes supérieures, dont le niveau de vie se compare à celui de leurs pairs d'Amérique du Nord et d'Europe occidentale, une classe moyenne, qui s'est développée pendant les années de prospérité, des paysans et des ouvriers, qui tentent de survivre dans une économie en pleine mutation, et des exclus de toutes sortes, paysans sans terre, jeunes sans emplois, émigrants clandestins. Cette exclusion sociale frappe présentement quelque trente-huit millions de Mexicains, soit plus de 40 % de la population.

Si le Mexique est connu pour ses plages, ses déserts et ses montagnes, il recèle aussi des forêts tropicales.

CHUTES DE MOTIEPA, ÉTAT DU CHIAPAS, ENTRE LA VILLE DE PALENQUE ET LE SITE ARCHÉOLOGIQUE.

Photo : Edward Dawson, 1993.

La région de Veracruz sur la côte du Golfe du Mexique.

PAYSAGE AU SUD DE VERACRUZ, 1996.
Photo : Edward Dawson

La recherche de l'identité au XXe siècle

Un des thèmes permanents de la pensée mexicaine a justement été de trouver l'*unité* qui puisse transcender ces frontières, *lo mexicano*, les bases de la « mexicanité » (*mexicanidad*). Dans cette quête, le présent est légitimé, ou contesté, par une interprétation du passé, lui-même interpellé en fonction des valeurs et des problèmes du moment, ce qui donne à « l'histoire nationale » valeur de *mythe*. En fait, chaque régime politique, de la colonie espagnole à la république moderne, a élaboré ses propres mythes de la mexicanité, abandonnés ou repris et modifiés par la suite.

Analysant les textes philosophiques, littéraires et politiques qui, depuis un siècle, ont *inventé* la mexicanité moderne, l'anthropologue et essayiste Roger Bartra en arrive à la conclusion qu'au-delà de la diversité des idéologies, revient constamment le thème central du paradis perdu ou, plus précisément, de l'« Éden perverti »(*edén subvertido*), auquel se rattachent les conceptions de l'homme et de la femme, de l'amérindianité, du Soi et de l'étranger, etc.[2] Dans cette optique, les civilisations précolombiennes sont présentées aujourd'hui comme un mélange de splendeur artistique et de rites sanguinaires, porteuses d'un Secret à jamais inaccessible; la conquête et la colonisation espagnoles ont été une agression aussi injustifiable qu'inévitable et, en même temps, le point de départ de la mexicanité, culture unique résultant de la fusion des deux autres (la thèse de la «race cosmique» du philosophe José Vasconcelos[3]). La guerre d'Indépendance (1810-1821), la lutte contre les envahisseurs au XIXe siècle, puis la Révolution (1910-1917) apparaissent alors comme des mouvements remarquables, riches en héros et en martyrs, mais malheureusement toujours dévoyés par un pouvoir corrompu, ce qui reporte indéfiniment l'atteinte de l'idéal qui semblait à portée de la main. Au triomphalisme officiel fait donc écho un sentiment d'échec (qu'on oppose au succès

Ces ouvriers offrent leurs services en s'installant avec leurs outils et enseignes à l'ombre de la cathédrale de Mexico.

Photo: Edward Dawson, 1993.

arrogant du voisin du Nord), ce « malaise mexicain » que des penseurs ont successivement défini comme « complexe d'infériorité », (Samuel Ramos[4]), « labyrinthe de la solitude » (Octavio Paz[5]) ou « cage de la mélancolie » (Roger Bartra[2]). Pour ce dernier auteur, la *production* de l'identité mexicaine par les intellectuels constitue un processus dynamique autant qu'inachevé, qu'il compare à l'*axolotl*. Cette larve d'une salamandre spécifique aux hauts plateaux mexicains peut atteindre la maturité sexuelle sans perdre ses caractéristiques larvaires, posant au biologiste un problème aussi difficile que peut l'être pour l'anthropologue, le philosophe ou le voyageur de saisir l'identité mexicaine.

Les Aztèques exprimaient dans le documents leur interprétation de l' toire, des informations géographiq et économiques, leurs croyances r gieuses. L'administration de l'emp exigeait la production de nombr documents. Le Codex Borbonicus a s doute été produit très peu de te après la conquête. Il s'agit ici d'un lendrier composé de deux documen le livre des destins ou Tonalamatl e livre des célébrations des mois.

TEOTLECO, LE 12e MOIS DE L'ANNÉE ; RITES CONSACRÉS AUX DIEUX DE L'EAU ET DU MAÏS. Illustration tirée du Codex Borbonicus.
Photo : Bibliothèque de l'Assemblée nationa Paris.

Diego Rivera, dans cette murale, évoque la splendeur artistique des civilisations pré-colombiennes.

Murales du Palais national de Mexico où l'on retrouve une synthèse de l'histoire mexicaine, de l'époque pré-hispanique à 1929. Ces murales furent peintes entre 1929 et 1945.

Photo : Paul G. Adam / Publiphoto

L'itinéraire

Deux fils conducteurs nous guideront dans le foisonnement d'une culture où les contrastes et les paradoxes abondent. Le premier sera *temporel* et permettra de suivre le processus historique de la construction de l'identité mexicaine. Le passé, recréé en tant que mythe d'origine de la mexicanité, se présente comme stratifié, « feuilleté » en plusieurs grandes périodes, comportant chacune ses thèmes principaux, ses personnages, individuels et collectifs, leurs apports et leurs débats autour du sens même de l'histoire. Ces apports ont laissé un vaste héritage, architectural, littéraire, artistique, linguistique, que les générations actuelles reprennent en même temps qu'elles le réinterprètent, ou qu'elles tentent d'effacer et de remplacer. Un exemple saisissant est celui des monuments précolombiens et coloniaux. L'une des premières tâches d'Hernán Cortés, après la conquête de Mexico-Tenochtitlan, fut de raser ses temples et ses palais pour édifier sur les ruines une ville espagnole ; à l'inverse, la république mexicaine moderne a célébré, en 1984, la redécouverte du Templo Mayor des Aztèques, et l'a restauré à grands frais ; elle interdit, par contre, tout monument à Cortés...

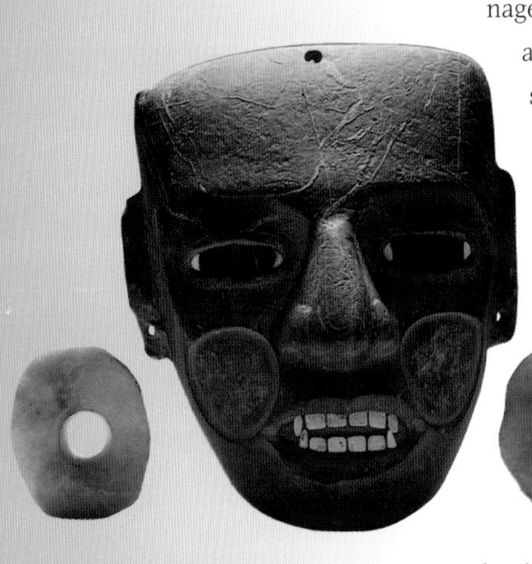

MÁSCARA Y PAR DE OREJERAS. (MASQUE ET BOUCLES D'OREILLES.) PIERRE CALCAIRE AVEC DES INCRUSTATIONS EN COQUILLAGE. Masque : 17.5 x 15.5 x 8.5 cm. Culture teotihuacane. Museo de sitio de Teotihuacan, INAH.
Photo : Luis Pérez Falconi et Óscar Necochea.

Vue de la double pyramide du site archéologique du Templo Mayor situé en plein centre de Mexico.

LE TEMPLO MAYOR À MEXICO.
Photo : Edward Dawson, 1993.

Ce voyage se fera aussi dans l'*espace*, réel et imaginaire. Contrairement au stéréotype du désert-aux-cactus (avec ou sans Mexicain endormi à l'ombre), la diversité géographique et écologique du pays fut investie par l'imaginaire des Mexicains depuis l'époque précolombienne. Les Aztèques situaient leur « paradis terrestre » (*Tamoanchan*) dans les régions, toujours vertes, de l'Est, et l'Empire des morts (*Mictlan*) dans le désert du Nord ; tandis que c'est au nord que bon nombre de Mexicains d'aujourd'hui situent le paradis... Les identités régionales sont encore très marquées, et définissent une galerie de caractères : le *norteño* est actif et bravache, le *chilango* (de la vallée de Mexico), secret et vindicatif, la *jarocha* (du Veracruz), coquette et fière. La conscience historique associe en outre chaque région à une ou des périodes privilégiées.

Ce parcours des imaginaires mexicains ne saurait se faire en solitaire. À chaque pas, le voyageur est sollicité par une foule de personnages. Notre voyage ira à leur rencontre et il se déroulera à plusieurs

Un voyageur au Mexique tel qu'observé par un Européen au début du XIX*e siècle.*

COCHE DE COLLERAS, VOITURE DE VOYAGE. Illustration tirée de C. Linati, *Costumes civils, militaires et religieux du Mexique* (dessiné d'après nature). Bruxelles, s.d. Musée de la civilisation, bibliothèque du Séminaire de Québec, fonds ancien.
Photo : Jacques Lessard.

niveaux. Le premier niveau, ce sont des pages arrachées au journal de bord d'un ethnologue québécois, qui découvre depuis trente ans le Mexique. À partir d'un lieu, d'un paysage, on remontera dans le temps; un contexte prendra forme. Puis des personnages s'animeront et le journal de bord cédera le pas au dialogue, dialogue inventé avec des êtres qui furent réels et dont la pensée et l'action ont construit la *mexicanidad,* avant qu'ils ne deviennent eux-mêmes partie du mythe : Bernal Díaz del Castillo, Benito Juárez, Diego Rivera. Notre itinéraire nous mènera successivement :

La fondation mythique de Tenochtitlan (1325) et son histoire jusqu'en 1375, lorsque le chef Tenochtli mourut, après cinquante et un ans de règne. Chaque case de la bande bleue, qui se lit dans le sens inverse des aiguilles d'une montre, représente une année. L'aigle, le figuier de Barbarie et la pierre au centre symbolisent Tenochtitlan et les circonstances qui ont amené les Aztèques nomades à s'installer en ce lieu. Le bouclier mexicain avec sept plumes de duvet d'aigle et le faisceau de lances représentent la guerre.

LA FONDATION DE TENOCHTITLAN. Codex Mendoza.
Photo : Bodleian Library d'Oxford.

La ville de Mexico, fondée sur une île du lac Texcoco, à la fin du XVIIe siècle.

« ANCIEN MEXICO ». Gravure tirée de Dom Antoine de Solis, *Histoire de la conquête du Mexique ou de la Nouvelle Espagne*, traduite de l'espagnol à Paris, avec privilège du Roy, MDCXCI. Musée de la civilisation, bibliothèque du Séminaire de Québec, fonds ancien.
Photo : Jacques Lessard.

CHAPITRE 1 : À Mexico, d'abord, sur la place centrale, le *Zócalo*. En observant des jeunes qui dansent en costume aztèque, nous ferons un saut au début du XVIe siècle et dans un couvent voisin, San Francisco.

CHAPITRE 2 : Dans les plaines sèches du Bajío. Une vision fugace de *vaqueros* y évoque chez le voyageur la « culture de l'homme à cheval », qui refoula celle des Indiens nomades pour établir les villes minières, près de riches gisements d'argent, et les *haciendas* qui leur fournissaient les bêtes de somme et les vivres. C'est dans ces villes, comme Guanajuato, que s'élaborèrent une société, une culture nouvelle, qui n'était plus amérindienne ni espagnole, mais proprement mexicaine.

CHAPITRE 3 : Dans les riches terres de l'Est. À la sécheresse du plateau central succèdent sans transition les montagnes couvertes de pins, puis la forêt tropicale et la plaine fertile du Veracruz. Pratiquement dépeuplée sous la Colonie, la région côtière connaîtra une expansion économique au XIXe siècle, grâce au développement des exportations et à la main-d'œuvre amérindienne de la Sierra Madre orientale. C'est précisément dans la Sierra que notre voyageur assiste à l'un des rites laïques fondamentaux du Mexique indépendant : *El Grito* (Le cri).

Plantation de maïs à El Tajín dans l'État de Veracruz.
Photo: Edward Dawson, 1994.

Les zapatistes et leur porte-parole le sous-commandant Marcos ont organisé la première rencontre internationale «contre le néolibéralisme et pour l'humanité», dans les brumes de l'État du Chiapas (sud-est du Mexique), le 5 août 1996.

ZAPATISTES DU CHIAPAS.
Photo: Gianni Muratore / Pono Presse Internationale, 1996.

CHAPITRE 4: Dans le Mexique profond des paysans et des Amérindiens du sud et du sud-est. En 1996, dans une communauté tzeltal du Chiapas, l'ethnologue écoute, de la bouche d'un jeune paysan, le récit d'une révolte et d'une occupation des terres. Une révolte du même type que celle qu'a dirigée Emiliano Zapata, au début du siècle. Suivant le fil de cette persistance paysanne, on retourne au Morelos, berceau de Zapata, en 1935.

CHAPITRE 5: Dans un village autochtone, à l'heure de la mondialisation. Le voyageur y constate que les idoles de la télé ont remplacé les héros et les monstres des mythes traditionnels. La source et le modèle de cette symbolique envahissante, c'est désormais le Nord opulent, *El Norte*. Et c'est vers le nord que le voyageur se déplace, plus précisément à Monterrey, la «capitale industrielle du pays» que l'ALÉNA a rapprochée des nouveaux marchés.

À cinquante mètres à l'est de la cathédrale, les bases du Templo Mayor. Lors de travaux de terrassement en 1978, on découvrit un énorme disque représentant Coyolxauhqui, la déesse de la lune. C'est alors qu'on décida d'organiser un programme de fouille pour dégager le Templo Mayor.

Les vestiges du temple aztèque Templo Mayor à Mexico avec, en arrière plan, la Cathédrale métropolitaine.
Photo: Edward Dawson, 1993.

1 La Conquista ou les imaginaires contrastés d'une «rencontre»

NOUS AVONS ÉTÉ FONDÉS COMME UTOPIE ; L'UTOPIE EST NOTRE DESTIN.

Carlos Fuentes, *Le miroir enterré*

Septembre 1997. Le voyageur déambule sur le *Zócalo*, centre historique de la capitale, flanqué par la cathédrale et l'hôtel du gouvernement (*Palacio de Gobierno*). L'agglomération compte de 19 à 22 millions d'habitants, qui sait... Quel que soit le nombre exact, il y a beaucoup de monde, et la circulation automobile est aussi impossible dans les rues du centre-ville (tracées il y a quatre siècles pour des charrettes et des mulets) que sur les voies dites «rapides» (*ejes viales* et *periférico*). Sur l'immense carré du *Zócalo*, en grande partie interdit à la circulation automobile, des centaines et des centaines de personnes se côtoient sans se bousculer: badauds, touristes, artisans, vendeurs de nourriture et de bricoles devant la

Sculpture représentant un vieil homme portant sur sa tête un foyer de cérémonie. Figuration du dieu du feu, une des plus anciennes divinités du centre du Mexique, appelée par les Aztèques Huehueteotl.

Huehueteotl. Pierre volcanique grise. 47 x 50 cm, Museo de Sitio de Teotihuacan, INAH.

Photo : Luis Pérez Falconi et Óscar Necochea.

Le Zócalo, la cathédrale et le Palais national à Mexico.
Photo : Edward Dawson, 1993.

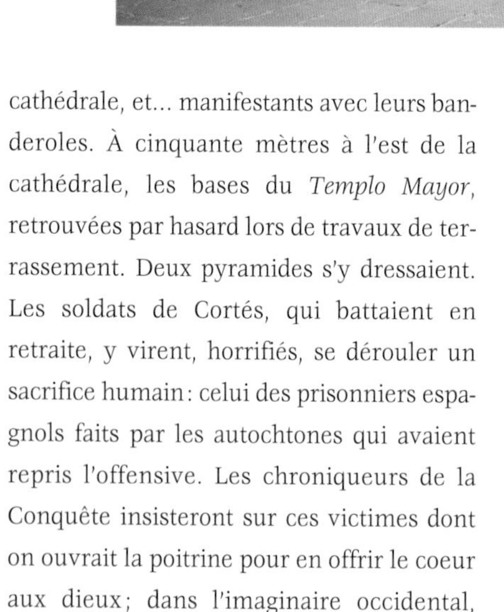

Danseurs concheros sur la place du Zócalo entre la cathédrale et le Templo Mayor.
Photo : Collection privée, 1995.

cathédrale, et... manifestants avec leurs banderoles. À cinquante mètres à l'est de la cathédrale, les bases du *Templo Mayor*, retrouvées par hasard lors de travaux de terrassement. Deux pyramides s'y dressaient. Les soldats de Cortés, qui battaient en retraite, y virent, horrifiés, se dérouler un sacrifice humain : celui des prisonniers espagnols faits par les autochtones qui avaient repris l'offensive. Les chroniqueurs de la Conquête insisteront sur ces victimes dont on ouvrait la poitrine pour en offrir le coeur aux dieux ; dans l'imaginaire occidental, cette institution demeurera attachée, comme un stigmate, au souvenir des Aztèques.

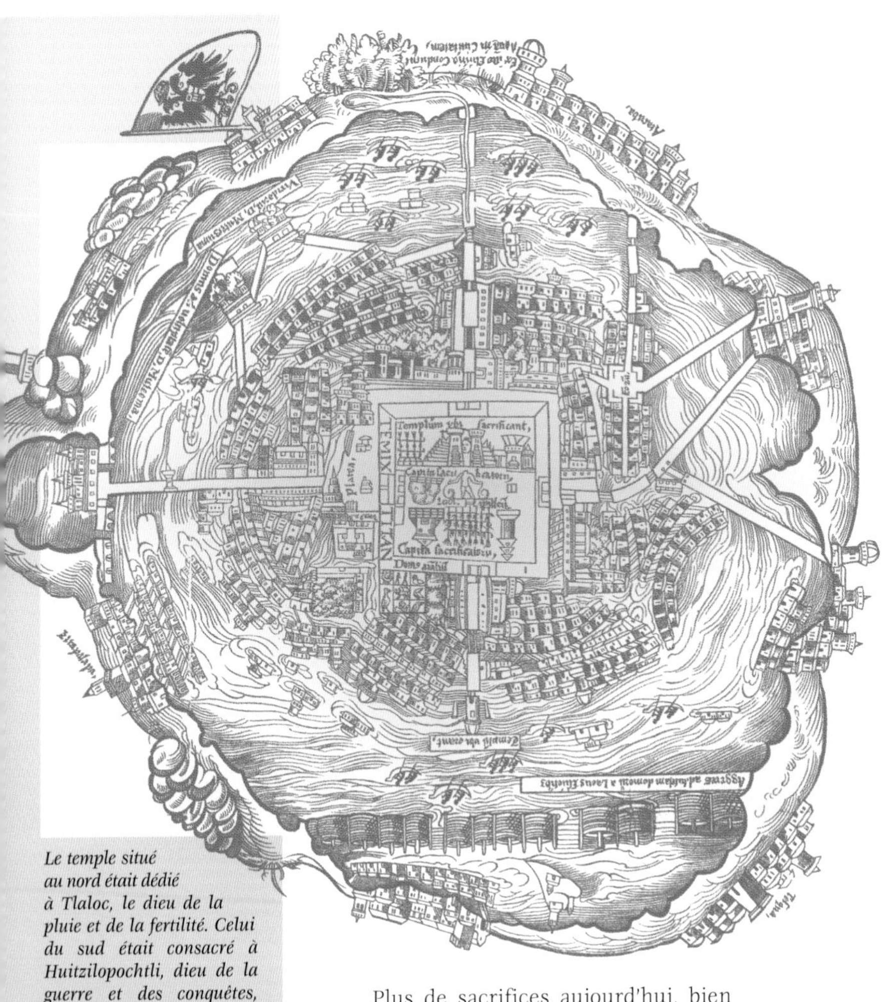

Le temple situé au nord était dédié à Tlaloc, le dieu de la pluie et de la fertilité. Celui du sud était consacré à Huitzilopochtli, dieu de la guerre et des conquêtes, associé au soleil.

Carte de Tenochtitlán probablement dessinée pour Cortés, Nürnberg, 1524.

Photo : Rare Books division, the New York Public Library, Astor, Lenox and Tilden Foundations.

Plus de sacrifices aujourd'hui, bien sûr. Et pourtant, entre le temple et la cathédrale, des danseurs aztèques ! Leur attirail, coiffures de plumes, cache-sexe, sandales de cuir, maracas et grelots, semble un mélange de celui qu'on peut voir dans les *Códices* et des costumes de figurants dans un film de Cecil B. DeMille. Du toc ? Pas tout à fait : à l'heure du casse-croûte, une femme, surgie de nulle part, apporte des tortillas de maïs et un bocal de sauce piquante où flottent des morceaux de viande ; à peu de chose près, ce que mangeaient leurs aïeux, il y a cinq siècles, quand Mexico s'appelait encore Tenochtitlán.

Une amérindienne maya assise en face d'un portail d'église à Izamal au Yucatan.
Photo : Edward Dawson, 1997.

Le voyageur a quitté la place par l'ouest et il arpente maintenant les rues tirées au cordeau où furent construites les premières maisons espagnoles, après que Cortés eut ordonné de raser l'immense ville-jardin qu'il avait assiégée pendant un an avec l'aide de ses alliés totonaques et tlaxcaltèques. Le centre fut réservé aux Espagnols, tandis que les autochtones étaient installés en périphérie. Mais aujourd'hui les Amérindiens occupent à nouveau le centre-ville : assises avec leurs enfants en bordure des trottoirs achalandés, des femmes mazahuas, qu'on appelle « Marías », fabriquent des bracelets et des poupées de chiffon qu'elles offrent aux passants. Elles semblent très peu

Porte en bois munie de ferrements typiques de l'époque coloniale à Queretaro.

Photo: Frances S. / Explorer / Publiphoto.

touchées par l'amendement de 1992 à l'article 4 de la Constitution, qui reconnaît (enfin) l'existence des peuples autochtones du Mexique (plus de cinquante, et 12 % de la population) et qui consacre leur droit de « préserver leurs langues, ainsi que leurs us et coutumes ». À quoi ces droits servent-ils aux « Marías », si elles n'ont pas les moyens de les faire valoir ? Et l'idéologie du métissage racial et culturel, qui constitue au Mexique une doctrine d'État, ne permet-elle pas à *tous* les Mexicains de revendiquer de plein droit l'héritage des grandes civilisations amérindiennes ?

Les vieilles façades de la rue Madéro, avec leurs balcons de fer forgé, laissent tout à coup la place à un mur de pierres noircies par le temps : c'est le cloître de San Francisco, ce qui reste de l'immense monastère construit au XVIe siècle et dont les nefs et les cours pouvaient accueillir, lors des fêtes, « plus de quarante mille âmes, tant Espagnols qu'Indiens ». Le cloître est silencieux, aujourd'hui, mais peut-être ses voûtes résonnent-elles encore des âpres débats qui opposèrent, il y a plus de quatre siècles, les franciscains, qui voyaient leur apostolat auprès des Amérindiens comme une « conquête spirituelle » parallèle à l'autre, et les dominicains, qui croyaient que la persuasion, plutôt que la force, assurerait une véritable implantation du christianisme au Nouveau Monde.

Moyennant une modeste gratification, le concierge taciturne a laissé le voyageur échapper à la cohue de la rue et circuler dans la fraîcheur des salles. L'une d'entre elles, au plafond bas, poutres noires et crépi blanc, a dû servir de réfectoire aux moines.

Dialogue : don Simón Tello de Guzmán, fray Toribio de Benavente, Bernal Díaz del Castillo, Nicolás Martín Tochtzin, fray Julián Garcés

Juin 1547. Autour de la grande table, cinq personnes ont pris place. À une extrémité, don Simón Tello de Guzmán, portant justaucorps et culotte de taffetas noir, les cheveux grisonnants sobrement attachés en arrière, comme il sied à un ecclésiastique en mission royale. En face de lui, presque chauve, les yeux ardents, son corps maigre flottant dans sa robe de bure, fray Toribio de Benavente, un des douze franciscains débarqués en 1524 pour entreprendre la « conquête spirituelle » de la Nouvelle-Espagne, que les autochtones avaient surnommé *Motolinia*[6]. Sur un des côtés, l'air bourru et la

Les Européens se questionnaient sur la nature des Indiens et de leurs mœurs: vivaient-ils selon la loi naturelle ou sous celle de Satan?

« *Le grand temple de Mexique* ». Gravure du XVIe siècle représentant une des maisons du grand chef Moctezuma. Gravure tirée de Dom Antoine de Solis, *Histoire de la conquête du Mexique ou de la Nouvelle Espagne*, traduite de l'espagnol à Paris, avec privilège du Roy, MDCXCI. Musée de la civilisation, bibliothèque du Séminaire de Québec, fonds ancien.
Photo : Jacques Lessard.

barbe grise, vêtu d'un pourpoint bleu usé qui contraste avec la sobre élégance du visiteur, Bernal Díaz del Castillo, conquistador de la première heure, qui accompagna les expéditions infructueuses d'Hernández de Córdoba et de Grijalva, avant de participer à la conquête avec Hernán Cortés. Sur le banc d'en face, deux hommes. Le plus jeune, Nicolás Martín Tochtzin, porte le costume des Indiens convertis : chemise et culottes de coton blanc, sandales de cuir à talonnières. Il provient d'une famille de *caciques* de Tlaxcala. À ses côtés, fray Julián Garcés, théologien et pédagogue, depuis 1539 évêque de Tlaxcala, vêtu de la tunique blanche et de la cape noire des dominicains. Debout, en retrait, un frère prend des notes, sur un lutrin presque vertical.

Après une brève prière, l'envoyé du roi prend la parole : « Des opinions contradictoires parviennent aux oreilles de Sa Majesté concernant l'empire des Indes. Malgré l'interdit, il se trouve encore des docteurs, à Salamanque et à Burgos, qui dissertent sur l'origine et la nature des Indiens, et la manière dont l'Église et la Couronne espagnole doivent traiter avec eux ; spéculations qui sont davantage le fruit de l'imagination, ou de l'intérêt, que le reflet de la vérité. C'est pourquoi ma mission consiste à recueillir ici même l'avis de personnes compétentes concernant ces matières. Mon choix s'est porté sur vous en raison de votre expérience et de votre connaissance concrète des choses. Je sais que vos opinions diffèrent et une confrontation m'a paru préférable, car je dispose de peu de temps pour mon enquête. Je veux que vous répondiez à trois questions. La première concerne la nature des

Pour les peuples préhispaniques, le maïs était le fondement de la vie humaine et de la civilisation. Encore aujourd'hui, la tortilla de maïs est l'accompagnement obligé sinon la base de tout repas.

Comiendo taco. (En mangeant un taco.) Ouest du Mexique. Figure anthropomorphe. Argile. 61 x 23.5 x 15 cm. Museo Regional de Colima. INAH. Photo : Luis Pérez Falconi et Óscar Necochea.

Indiens et leurs mœurs en dehors de notre influence : vivent-ils selon la loi naturelle ou sont-ils sous l'emprise de Satan, comme les Maures, les Juifs et les hérétiques ? La seconde : quels ont été les résultats de vingt-cinq ans de pacification et de prédication sur leurs manières d'être et de se conduire, et sur celles des Espagnols ? Et enfin, la troisième : quel est et quel sera l'effet des Nouvelles Lois des Indes, édictées il y a trois ans, pour conduire Espagnols et Indiens sur le chemin de la modération et de la vertu ? »

Puis, s'adressant à Bernal Díaz del Castillo : « Parlez d'abord, car il reste peu de gens aujourd'hui qui ont connu les Indiens au temps du paganisme. En outre, vous les côtoyez depuis plus de vingt ans comme *encomendero.* »

La scène centrale représente une cérémonie d'origine préhispanique, dite « danse du Volador ». Un danseur se tient au sommet d'un mât, tandis que tout autour, d'autres danseurs simulent le vol d'oiseaux. Disposés en une colonne à gauche du mât, neuf moines assistent à un baptême. À droite, un autre moine baptise un Indien habillé à l'européenne.

SCÈNES DU DÉBUT DE LA PÉRIODE COLONIALE ET ÉVANGÉLISATION.
Illustration tirée du Codex Azcatitlan.
Photo : Bibliothèque Nationale de France, Paris.

Représentation de la marche des Espagnols vers Mexico en 1519. La bannière du Saint-Esprit flotte au-dessus des têtes des cavaliers espagnols revêtus d'armures, et de leurs porteurs indiens qui portent les vivres. On y a représenté également un serviteur noir, tandis qu'on reconnaît Cortés et la Malinche qui occupent le bord droit de la page.

La marche des Espagnols vers Mexico. Illustration tirée du Codex Azcatitlan.
Photo : Bibliothèque nationale de France, Société des Américanistes, Paris.

Le vieux soldat commença, d'une voix lente et forte, en fixant souvent le dominicain du regard :

« C'est vrai que je connais bien les Indiens. J'ai connu ceux de Saint-Domingue et de Cuba, de Darien [Panama], du Mexique et du Guatémala. Leurs flèches m'ont troué la peau, quand nous étions venus troquer de l'or sur ces côtes, avec Hernández de Córdoba et Juan de Grijalva. J'ai accompagné Hernán Cortés de Veracruz à Mexico, quand nous avons vaincu le grand Moctezuma. Et, depuis plus de vingt ans, je vis, plutôt mal que bien, dans mes deux *encomiendas* de Tlapa et de Chamula, à deux cents lieues vers le sud.

« À la première question, je réponds que quiconque a vu les Indiens de Nouvelle-Espagne avant leur conversion ne peut qu'être convaincu qu'ils adoraient le démon. Il n'est pas de village ou de ville, du Tabasco jusqu'à Mexico, où nous n'avons trouvé de *cúes* ; ils y vénéraient des idoles de pierre, et

*«Le dieu Vitritiparti» (Huitzilopochtli) à qui les Aztèques offraient des sacrifices humains. Selon un illustrateur du XVIII*e *siècle.*
Gravure tirée de Thomas Gage, *Nouvelle Relation, contenant les voyages de Thomas Gage dans la Nouvelle Espagne, ses diverses aventures et son retour par la province de Nicaragua jusqu'à la Havane*, Tome I, Amsterdam, 1720.
Musée de la civilisation, bibliothèque du Séminaire de Québec, fonds ancien.
Photo: Jacques Lessard.

leur sacrifiaient des jeunes gens et des femmes; après leur avoir ouvert la poitrine avec de grands couteaux de pierre tranchante, ils leur faisaient brûler le cœur avec de l'encens du pays, qu'ils appellent *copalli*; et ils leur coupaient bras et jambes pour les manger; ils aspergeaient même de leur sang les murs et les planchers. Les prêtres qui servaient les idoles étaient vêtus de longs burnous noirs, leurs oreilles étaient déchiquetées à forces de saignées offertes aux idoles, et ils ne connaissaient pas de femmes, mais pratiquaient la sodomie. Nous avons renversé les idoles et nous les avons remplacées par des croix et les images des saints. Et Cortés leur faisait expliquer, par ses interprètes[7], qu'ils devaient cesser d'adorer Satan et que des gens viendraient leur parler du vrai Dieu qui leur donnerait la santé et de bonnes récoltes.

«Maintenant, la deuxième question. L'ordre de mission que Cortés avait reçu du gouverneur de Cuba, Diego de Velásquez, n'était plus de troquer, mais de nous établir. Les malheurs des expéditions antérieures avaient montré qu'on ne pouvait s'installer sans d'abord conquérir, contrairement à ce qui s'était passé dans les îles, où les Indiens tainos avaient bien accueilli Colomb, au début. Ici, au contraire, quand nos truchements leur traduisaient le *requerimiento*, les *caciques* répondaient qu'ils ne voulaient pas changer leurs dieux et qu'ils avaient déjà leurs seigneurs. Ils avaient des milliers de guerriers à nous opposer. Plusieurs *caciques*, comme celui de Cempoalla, ont cependant accepté de devenir les vassaux de Charles-Quint, quand ils ont vu que nous pouvions

Les Espagnols furent émerveillés lorsqu'ils découvrirent, des hauteurs environnantes, Mexico-Tenochtitlan, la capitale de l'empire aztèque. La ville se dressait au milieu d'une zone lacustre, entourée de «jardins flottants» (chinampas) et reliée à la terre ferme par trois chaussées principales. Après la chute de Tenochtitlán, Cortés pris la décision de construire sur ses décombres la capitale de la future Nouvelle-Espagne.

«ENVIRONS DU LAC DE MEXIQUE». Gravure tirée de Dom Antoine de Solis, *Histoire de la conquête du Mexique ou de la Nouvelle Espagne*, traduite de l'espagnol à Paris, avec privilège du Roy, MDCXCI. Musée de la civilisation, bibliothèque du Séminaire de Québec, fonds ancien. Photo: Jacques Lessard.

les aider à se libérer du joug de Moctezuma, qui leur demandait des tributs très lourds et venait prendre leurs fils et leurs filles pour les sacrifices. Oui, notre guerre a été une guerre juste et les soldats espagnols se sont comportés en loyaux sujets du roi et en bons chrétiens.

« *Moctezuma dernier empereur du Mexique peint par ordre de Hernán Cortés* ».
Illustration tirée de C. Linati, *Costumes civils, militaires et religieux du Mexique* (dessiné d'après nature). Bruxelles, s.d. Musée de la civilisation, bibliothèque du Séminaire de Québec, fonds ancien.
Photo : Jacques Lessard.

« Quant aux Nouvelles Lois des Indes, étant homme de guerre, je ne puis en discourir, et je laisse ça aux juristes. Mais je puis vous dire que la manière dont elles sont diffusées ici, dans les *doctrinas*, ne peut qu'amener la ruine de ce pays. Certains prêtres – surtout des dominicains[8] –, qui sont plus familiers avec les livres qu'ils ne connaissent les Naturels, ont juré de priver les vieux soldats comme moi de leur juste récompense. L'évêque que nous avons depuis trois ans à Ciudad Real (San Cristobal de Las Casas) refuse les sacrements à tous ceux qui ont fait du commerce avec les Naturels ou qui en emploient sur leurs fermes ou dans leurs maisons. Il semble bien qu'on ne pourra plus transmettre nos *encomiendas* à nos descendants ! On veut nous enlever nos serviteurs, que nous traitons beaucoup mieux que leurs maîtres indiens d'autrefois. Sans notre main ferme et la discipline que nous faisons régner dans le pays, tout sombrera dans le désordre, et il est même probable que renaissent les vieilles superstitions. C'est tout ce que j'avais à vous dire. »

Le visage de Díaz del Castillo s'était empourpré ; il fixait l'évêque de Tlaxcala qui brûlait de lui donner la réplique. Mais l'envoyé du roi donna plutôt la parole à fray Toribio :

En 1514, Bartolomé de Las Casas, alors prêtre et colon, eut, selon son propre témoignage, une illumination : il devait être le défenseur des Indiens contre les abus des Espagnols. Devenu dominicain en 1522, il consacra sa vie à la défense des Amérindiens, autant en Amérique (il fut évêque du Chiapas) qu'en Espagne.

«LAS CASAS ET LES MEXICAINS» (selon une vision romantique). Gravure tirée de A. Dillon, *Beautés de l'histoire du Mexique*, Paris, 1822. Musée de la civilisation, bibliothèque du Séminaire de Québec, fonds ancien.
Photo : Jacques Lessard.

Maqueta de Templo Mexica.
(Maquette d'un temple aztèque.)
Terre cuite polychrome.
40 x 30 x 30 cm. Culture aztèque.
Museo Regional de Puebla, INAH.
Photo : Luis Pérez Falconi et Óscar Necochea.

«Merci, don Simón, répondit le franciscain. Je suis arrivé au Mexique avec les Douze, en 1524, sous la direction de fray Martín de Valencia, pour convertir les Indiens. Bien sûr, avant même que ne soit terminée la conquête, on avait baptisé certains *caciques*, qui se montraient particulièrement bien disposés à l'égard des Espagnols, et aussi les jeunes femmes qui furent données aux conquérants par leurs alliés. C'est ainsi que fut baptisée doña Marina, à qui les desseins de la Providence réservaient un rôle si important pour amener ces peuples dans l'Église. Mais, laissés à eux-mêmes, beaucoup de nouveaux convertis retournaient à leurs pratiques anciennes, car Satan exerçait une profonde emprise sur leurs âmes. En plus de leurs sacrifices abominables et du péché contre nature, leurs devins et sorciers mangeaient un champignon à manière d'hostie, après quoi Satan lui-même leur apparaissait sous forme de serpent pour leur révéler l'avenir. Je crois que nulle part au monde le diable n'a eu autant de licence pour soumettre les âmes.

«Tout comme les conquêtes de César ont permis l'implantation du christianisme dans tout le monde connu d'alors, celles d'Hernán Cortés et de Francisco Pizarro ont fait de l'Espagne l'instrument choisi par Dieu pour que s'étende universellement son règne. C'est pourquoi la guerre de conquête fut une guerre juste.

«Concernant la forme de gouvernement qui a prévalu par la suite pour ordonner le pays, nous croyons, là encore, qu'il était justifié de «confier» (*encomendar*) les

Le Palais de Cortés fut construit par des maçons indiens sous la direction de contremaîtres espagnols.

«ATTAQUE DU PALAIS DE CORTÉS». Gravure tirée de Thomas Gage, *Nouvelle Relation, contenant les voyages de Thomas Gage dans la Nouvelle Espagne, ses diverses aventures et son retour par la province de Nicaragua jusqu'à la Havane*, Tome I, Amsterdam, 1720. Musée de la civilisation, bibliothèque du Séminaire de Québec, fonds ancien.
Photo: Jacques Lessard.

Naturels aux officiers et soldats qui avaient participé à la conquête. En plus de veiller à ce que les nouveaux convertis persévèrent dans la foi, la Couronne s'assurait ainsi que seraient recueillis les impôts et tributs que payaient autrefois les Indiens à l'empereur et qui lui revenaient désormais de droit, tout comme la cinquième partie de l'or ramassé. En outre, on a permis à ces bras, naguère contraints d'édifier des temples à Satan, de construire églises et couvents pour la gloire de Dieu. Regardez ce monastère où vous êtes. Les travaux ne sont pas encore terminés, mais les maçons indiens font du bon travail, sous la direction de nos frères. La pierre ne manque pas, à Mexico, avec tous ces temples que les autorités ont fait démolir. Et partout dans le pays, il n'est point de village où parmi les humbles masures de paille ne commencent à s'élever les murs de nouvelles églises.

«Croyez-moi, sans la collaboration de ces hommes de guerre, il n'aurait pas été aisé de discipliner dans la foi et le travail ces nations que le climat, et leurs humeurs, rendent plutôt enclines à la paresse et à l'ivrognerie. Certes des abus ont été commis, tout particulièrement par Nuño de Guzman, qui dirigea la Première Audience ; il fut maintes fois dénoncé par notre évêque, Juan de Zumárraga, pour ses pillages et la réduction d'Indiens à l'esclavage. Quant à nous, franciscains, nous nous sommes appliqués dès

Détail d'un ensemble de peintures murales exécutées par Diego Rivera à partir de 1942, illustrant le monde préhispanique et la conquête, au Palais national à Mexico.
Photo : Paul G. Adam / Publiphoto.

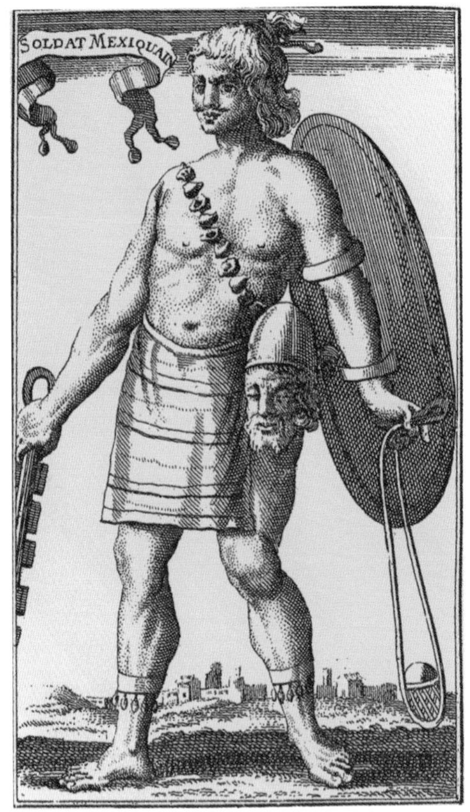

«Les soldats pour se montrer plus terribles à leurs ennemis, teignoient leurs corps nuds ou se couvraient d'une peau de tigre, ou de lion entiére, mettant la tête de l'animal sur la leur. Ils avoient en bandoliére un cordon où l'on voïoit des coeurs, des nez, des oreilles, avec une tête d'homme au bout.» Gemelli Careri.

«SOLDAT MEXIQUAIN». Gravure tirée de Gemelli Careri, *Voyage du tour du monde*, nouvelle édition augmentée sur la dernière de l'Italien et enrichie de nouvelles Figures. Tome 6. De la Nouvelle Espagne, Paris, 1726. Musée de la civilisation, bibliothèque du Séminaire de Québec, fonds ancien. Photo: Jacques Lessard.

notre arrivée à apprendre leurs langues pour y traduire correctement les mystères de la foi et mieux extirper de leurs croyances et de leurs coutumes les restes de l'ancienne idolâtrie.

«Concernant les Nouvelles Lois des Indes, nous y sommes favorables, même si nous croyons que ce serait une illusion de penser que les "républiques d'Indiens" (*repúblicas de indios*) puissent fonctionner comme nos villages de Castille ou d'Andalousie. Mon expérience m'a confirmé la justesse de l'opinion d'Aristote, reprise par saint Thomas d'Aquin, à l'effet qu'il existe deux grandes classes parmi les hommes: ceux qui sont faits pour commander et ceux qui sont faits pour servir. Les Indiens appartiennent à cette dernière catégorie, et il convient de les placer toujours sous notre direction. Je veux soulever un autre point, concernant les Métis, qui abondent dans les villes et dont

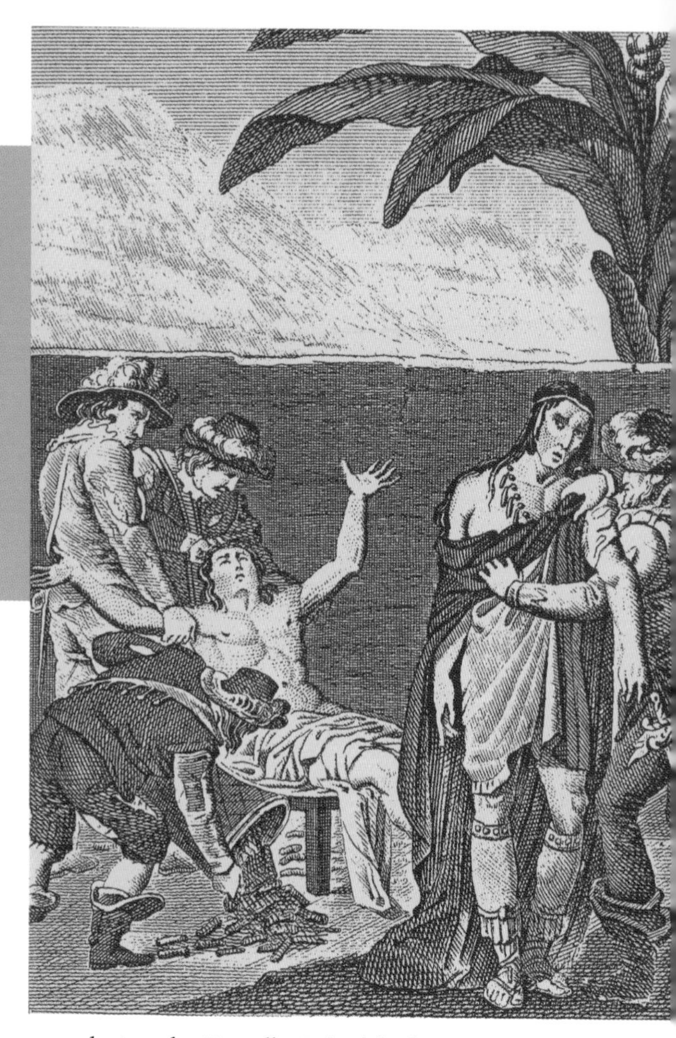

Cortés fit torturer l'empereur Cuauhtemoc, afin de l'obliger à dévoiler l'emplacement du «trésor» de Moctezuma. Il lui fit enduire les pieds d'huile et les mis au-dessus du feu.

«GUATIMO ÉTENDU SUR DES CHARBONS ARDENTS». Gravure tirée de A. Dillon, *Beautés de l'histoire du Mexique*, Paris, 1822. Musée de la civilisation, bibliothèque du Séminaire de Québec, fonds ancien. Photo: Jacques Lessard.

ne parlent pas les Nouvelles Lois. Il faudrait veiller à ce qu'ils ne deviennent pas trop nombreux, car ils semblent hériter des vices propres aux deux castes.

«En ce qui concerne les peuples sauvages du Nord, dont on parle beaucoup depuis qu'on a découvert de l'argent dans ces contrées, nous croyons qu'il serait préférable de regrouper les Indiens que l'on capture dans des missions plutôt que de les réduire à l'esclavage. Comme dans nos collèges, en même temps que les principes de la foi, on apprendrait aux hommes l'agriculture, le soin des animaux et les arts d'utilité, aux femmes, le tissage. Les autres Indiens y viendraient ensuite certainement, de leur libre consentement. »

L'évêque de Tlaxcala semblait plongé dans une méditation profonde, dont il sortit brusquement lorsque don Simón Tello de Guzmán lui donna la parole.

« Comme vous le savez, il y a longtemps que des religieux de notre ordre se sont prononcés contre la manière dont furent conquis et gouvernés les peuples du Nouveau Monde. Nous avons toujours soutenu que les Naturels montrent une grande disposition à la foi. Leurs Majestés très catholiques ont bien voulu prêter l'oreille et ont promulgué les lois de Burgos, en 1512, interdisant expressément l'esclavage des Indiens. Nous nous sommes certes efforcés de gagner à la foi les Naturels, mais nous ne croyons pas que l'épée soit la seule ni la meilleure manière d'y arriver: au contraire,

Avant de partir conquérir Mexico, Cortés fit couler ses vaisseaux afin d'empêcher tout possibilité de retour de ses hommes à Cuba.

« Vaisseaux de Cortés échoués par ses ordres ». Gravure tirée de Dom Antoine de Solis, *Histoire de la conquête du Mexique ou de la Nouvelle Espagne*, traduite de l'espagnol à Paris, avec privilège du Roy, MDCXCI. Musée de la civilisation, bibliothèque du Séminaire de Québec, fonds ancien. Photo: Jacques Lessard.

l'exemple des Espagnols, qui contredit à chaque jour la prédication, constitue le pire obstacle à leur conversion, si tant est que les *encomenderos* nous laissent seulement approcher des Indiens dont ils ont la garde pour que nous puissions leur prêcher. Leur recherche insatiable de l'or les pousse à marquer encore des milliers d'Indiens au fer, pour les envoyer aux mines ou les vendre. Souvent, les Naturels ne peuvent même plus produire pour leur subsistance; c'est là la cause principale de leur disparition de Cuba et d'Hispaniola, et de la grande diminution des nations du Mexique, dont se réjouissent présentement ceux qui rêvent d'accaparer leurs terres.

«Rencontre de Cortés et de Moctezuma». Gravure tirée de Dom Antoine de Solis, *Histoire de la conquête du Mexique ou de la Nouvelle Espagne*, traduite de l'espagnol à Paris, avec privilège du Roy, MDCXCI. Musée de la civilisation, bibliothèque du Séminaire de Québec, fonds ancien.
Photo: Jacques Lessard.

« MOCTEZUMA PRISONNIER ». Gravure tirée de A. Dillon, *Beautés de l'histoire du Mexique*, Paris, 1822. Musée de la civilisation, bibliothèque du Séminaire de Québec, fonds ancien.
Photo : Jacques Lessard.

« Il fallait réduire par la force les Indiens, nous dit-on, car ils étaient idolâtres. Le diable avait certes sa part dans leurs cérémonies et sacrifices, mais n'en était-il pas de même dans notre terre, l'Espagne, avant que l'apôtre Jacques ne vienne y prêcher ? Ce qui rend les Indiens avares, paresseux, ivrognes et voleurs, c'est l'exemple des Espagnols qui sont trop souvent des aventuriers sans scrupules prêts à tout pour s'enrichir rapidement !

« Le succès remporté dans les collèges démontre que nous avons raison. Nous enseignons aux jeunes Indiens non seulement les arts mécaniques, mais aussi la lecture et l'écriture, le latin, les mathématiques et la musique. Eh bien, je vous dirai qu'ils sont plus dociles et plus prompts à apprendre les choses de la foi et celles du siècle que les élèves à qui j'enseignais en Espagne. Nul doute qu'une fois policés, ils ne puissent exceller dans toutes les tâches qu'on voudra bien leur confier. Vous pourrez le voir tout à l'heure en conversant avec Nicolás Martín, que j'ai amené de Tlaxcala avec moi, à la demande de monseigneur.

«Concernant les Nouvelles Lois des Indes, nous nous réjouissons que Sa Majesté le roi Charles ait bien voulu y incorporer plusieurs de nos suggestions et recommandations, en particulier la création des "républiques d'Indiens" où ils pourront s'administrer avec sagesse et justice sans être toujours exposés aux exactions et aux mauvais exemples de ceux qui se croient nés pour les gouverner. Gardons-nous bien de céder à ces derniers les terres qu'ils réclament à même les communes indiennes! Les Métis devraient aussi y être interdits de séjour, tout autant que les Espagnols, puisqu'ils semblent avoir appris rapidement de ces derniers comment abuser des Naturels. Nous aurions aimé que la part de l'Église soit plus grande dans la surveillance et le gouvernement de ces républiques, de même que dans les conflits qui les opposeront certainement à ceux qui veulent profiter de leur faiblesse actuelle. Le roi en a jugé autrement. Les bases sont cependant jetées pour que fleurisse en cette terre, qu'on a justement baptisée le Nouveau Monde, un âge d'or pour nos deux républiques: celle des Naturels et celle des Espagnols.»

STATUETTE DE PROCESSION DE SANTIAGO MATAMOROS. Bois polychrome. XVIe-XVIIe siècles. Museo Franz Mayer.

Photo : Luis Pérez Falconi et Óscar Necochea.

Gravure représentant un guerrier, site archéologique de Chichen-Itza. Charnay avait identifié ce guerrier comme étant le dieu Tlaloc.

« TLALOC ». Illustration tirée de Désiré Charnay, *Ancient Cities of the New World*, Londres, 1887.

L'envoyé se tourna vers le dernier invité : « C'est à votre tour, mon fils. Je tenais à ce qu'un Naturel de ces terres, éduqué dans notre foi, exprime aussi ses vues sur les questions qui préoccupent le roi, et c'est vous que votre évêque a choisi. Parlez sans crainte. »

Visiblement intimidé, don Nicolás Martín Tochtzin commença, dans un espagnol où l'enquêteur reconnut l'accent des Andalous, qui formaient le principal contingent de colons – et quelque chose de chantant, qu'il avait senti également dans cette langue inconnue qu'utilisaient les portefaix et les vendeurs du marché.

« J'ai vingt-cinq ans, et je suis né à plus de quarante lieues d'ici, dans une province qu'on appelle en langue mexicaine Tlaxcallan. Mon père – que son âme repose en paix – s'appelait Ixtecuanpilli, ce qui veut dire, "fils du visage du jaguar" ; il était *cacique* de Texmelucan. Je suis le quatrième enfant de sa première et principale épouse, qu'il connut au temps où il était païen et qu'il conserva, après son baptême. Il me contait qu'il fut baptisé et qu'il accompagna Hernán Cortés et Alvarado dans la guerre contre ceux de la Triple Alliance, à Tenochtitlán. À cette occasion, des milliers d'Indiens prirent les armes dans toute la région orientale, autant ceux qui étaient soumis à l'empereur Moctezuma, comme les Totonaques de la côte, que ceux de notre province de Tlaxcallan, qui est toujours restée indépendante. De sorte que ce n'est pas vrai ce qu'on entend dire : que seulement neuf cents Espagnols et quatorze chevaux ont vaincu Moctezuma ; l'armée indienne était si grande qu'on avait peine à discerner un Castillan, disait mon père.

« Il est vrai qu'avant d'être baptisés par les pères, nos aïeux sacrifiaient des captifs, et brûlaient du *copalli*, à des statues de pierre ou de bois, à visage de diables : ils disaient que certains démons faisaient tomber la pluie, comme Tlaloc, ou gardaient le feu, comme Huehueteotl. Chacun avait sa fête, son nom et son chiffre, dans le compte des jours, et le *teopixcatzin*, celui-qui-garde-les-dieux, prédisait ce que deviendrait un enfant né ce jour, ou ce qu'il adviendrait d'un voyage ou d'une guerre entrepris ce jour-là. Parfois ils avaient raison et je crois qu'ils pouvaient vraiment parler aux diables ; c'est ainsi qu'ils ont prédit l'arrivée des Espagnols et la fin de l'empire.

TLALOC, LE DIEU DE LA PLUIE.
Illustration tirée du Codex Ixtlilxochitl.
Photo : Bibliothèque nationale de Paris.

«*Puebla de los Angeles*».
Illustration tirée de Désiré Charnay, *Ancient Cities of the New World*, Londres, 1887.

«Au temps de Nuño de Guzmán, des soldats sont venus réclamer tout l'or et toutes les pierres vertes que nous avions. Comme ce n'était pas assez, et comme ils ne trouvaient pas d'or sur nos terres, ils ont dit aux caciques de leur remettre cent hommes, qu'ils ont marqués au fer et emmenés avec eux. Jamais on ne les a revus; certains disent qu'on les a fait travailler dans les mines, et d'autres qu'ils sont tous morts. J'étais encore enfant quand les moines et les néophytes ont renversé les idoles à Tlaxcallan, et que tous les sacrifices aux anciens dieux furent interdits; ensuite, un moine a convaincu mon père de m'envoyer étudier au collège de Santa Cruz de Tlatelolco. Au début, j'ai beaucoup pleuré, mais certains frères parlaient la langue mexicaine et m'ont convaincu de rester. J'ai appris les choses de la religion chrétienne et aussi l'écriture, les nombres, et à chanter en latin. Je suis resté plusieurs années parmi les

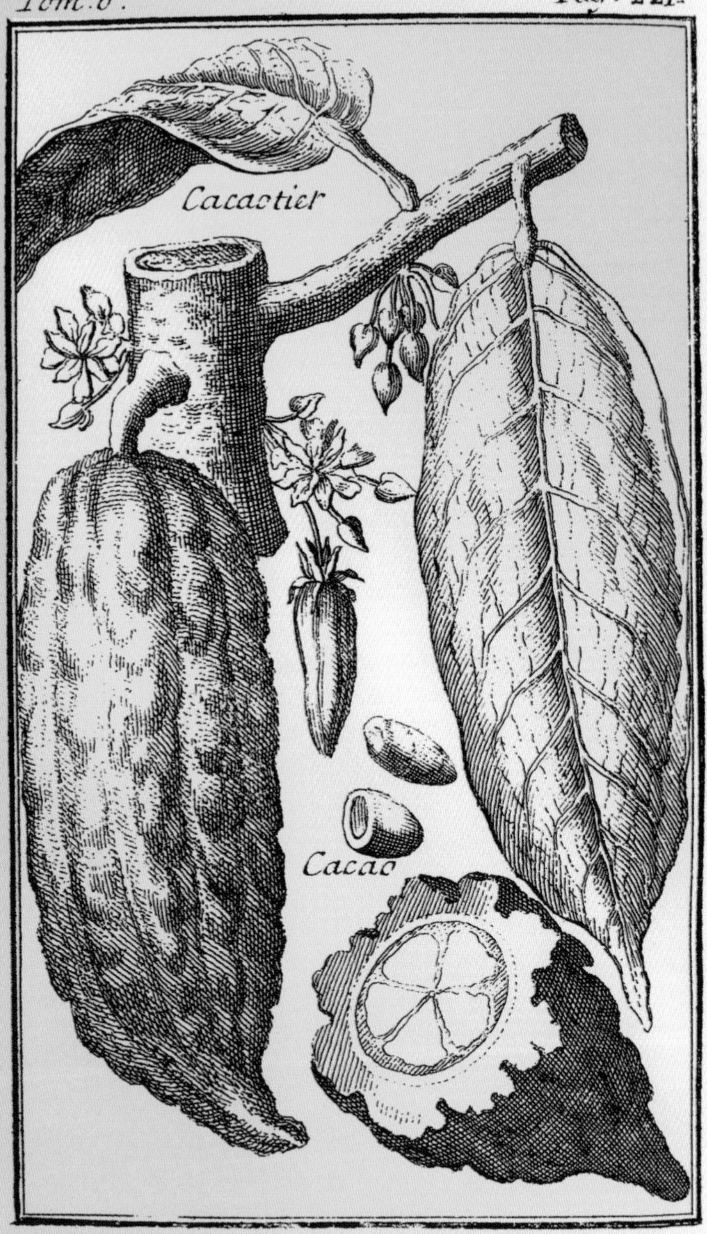

Très prisé par la société de la Nouvelle-Espagne, le chocolat était fait à partir de grains de cacao (Theobroma cacao). Pour les Aztèques, le cacao possédait une valeur inestimable et le grain était utilisé comme monnaie d'échange. Même si l'existence du cacao était connue depuis le dernier voyage de Colomb, il faudra attendre le début du XVIIe siècle avant que l'usage du chocolat ne se répande en Europe.

LE CACAHOTIER ET SES FRUITS. Gravure tirée de Gemelli Careri, *Voyage du tour du monde*, nouvelle édition augmentée sur la dernière de l'Italien et enrichie de nouvelles Figures. Tome 6. De la Nouvelle Espagne, Paris, 1726. Musée de la civilisation, bibliothèque du Séminaire de Québec, fonds ancien. Photo : Jacques Lessard.

frères, mais mon père m'a rappelé il y a cinq ans, pour que je prenne charge de la famille. Il allait mourir et mes deux frères aînés étaient déjà morts de cette maladie qu'on appelle *cocoliztli*. Dans le nouveau village qu'on avait construit, avec une église, j'ai trouvé plusieurs maisons vides; on m'a dit que ces gens étaient morts de maladie et que d'autres avaient été recrutés pour construire la Puebla de los Angeles, à plus de dix lieues de chez nous, et n'étaient jamais revenus. Nous comptons en appeler auprès du nouveau vice-roi, don Antonio de Mendoza, pour que cesse le recrutement pour la construction à Puebla, car nous sommes exemptés du tribut royal, à cause de l'aide que nous avons apportée aux Espagnols contre Moctezuma; déjà nous sommes à construire une église de pierres pour notre patron, saint Martin. Je suis marié et j'ai deux enfants; un autre est mort quand le *cocoliztli* a de nouveau frappé, l'année dernière.

VASO CON TAPA DEIDAD DEL CACAO. (Vase avec couvercle représentant le dieu du cacao.) Argile. Vase: 26 x 22.4 cm. Couvercle : 11 x 25 cm, Époque préhispanique. Museo regional de Tlaxcala, INAH.

Photo: Luis Pérez Falconi et Óscar Necochea.

«Je pense que mon discours s'est embrouillé et peut-être n'ai-je pas bien répondu aux questions. Depuis mon retour chez moi, je ne parle plus souvent le castillan. Pour ce qui est des Nouvelles Lois, monseigneur l'évêque don Julián m'a expliqué qu'elles étaient bonnes. Le vice-roi Antonio de Mendoza a reconnu nos titres et il dit que nous ne devons payer que la dîme au curé. Cette année, les gens de Texmelucan m'ont choisi pour être *regidor* (conseiller) de la commune, parce que je sais écrire et parler l'espagnol. Notre nouveau gouverneur, Juan Francisco, est un cacique âgé et sage, mais il

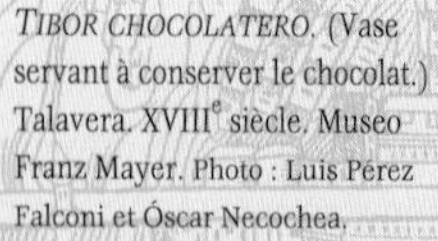

Tibor chocolatero. (Vase servant à conserver le chocolat.) Talavera. XVIIIe siècle. Museo Franz Mayer. Photo : Luis Pérez Falconi et Óscar Necochea.

ne connaît que la langue mexicaine et ne peut traiter avec les autorités. Nous voulons aussi faire exclure de chez nous deux Espagnols et un Métis, qui vendent du vin et ont commencé à faire paître des moutons sur nos terres. Les Nouvelles Lois sont bonnes, car nous pouvons entretenir l'église et le curé et régler nos querelles entre nous. C'est tout. Tout ce que j'ai dit est la vérité. »

L'abbé Tello remercia les participants et conclut : « Je vois que les opinions sont aussi partagées ici qu'en Espagne concernant l'état des choses au Mexique et la meilleure manière de gouverner le pays. Je crois que je recommanderai au roi d'organiser à la cour même un débat auquel il pourra assister pour juger au mieux des divers plaidoyers. »

L'évêque de Tlaxcala intervint à nouveau : « Il serait important que fray Bartolomé de Las Casas, qui connaît mieux que tout autre les questions touchant les Indiens, soit présent. »

Le conquistador et *encomendero* Díaz ajouta : « Si cet évêque y est, j'y serai aussi. »

ÉPILOGUE

La «controverse de Valladolid» eut effectivement lieu, devant le roi, en 1550, et elle opposa principalement Las Casas, qui dénonça encore les abus passés et présents des Espagnols envers les autochtones, et Juan Ginés de Sepúlveda, qui reprit les thèses de son livre (*Sur les justes causes de la guerre contre les Indiens*), argumentant la nécessité d'un contrôle étroit des autochtones par les Espagnols. Díaz del Castillo tenta sans succès de rendre héréditaire la fonction d'*encomendero*. Les Nouvelles Lois furent maintenues mais leur application demeura toujours partielle, vu les intérêts en jeu et la difficulté de contrôler effectivement ce qui se passait sur le terrain.

L'Empire aztèque

Sous le règne d'Itzcoatl (Serpent d'Obsidienne, 1427-1440), les Aztèques et leurs alliés réussirent à défaire les Tépanèques, maîtres de l'ouest de la Vallée de Mexico. C'est alors qu'est fondée, en 1428, la Triple Alliance, réunissant les villes de Tenochtitlan, capitale des Aztèques, de Texcoco à l'est et de Tlacopa à l'ouest.

Avec l'aide de leurs alliés, les Aztèques se lancèrent à la conquête des seigneuries qui les entouraient, puis conquirent des terres lointaines jusqu'à former, au moment de la conquête, quelque 38 « provinces » qui s'étendaient de la côte du Golfe au Pacifique (environ 200 000 kilomètres carrés), avec des enclaves non soumises. Des postes militaires surveillaient les points critiques. Le nahuatl, langue de la Triple Alliance, devint la *lingua franca* de l'empire.

Ces « provinces » devaient payer un tribut dont la teneur était minutieusement compilée. Tenochtitlan pouvait ainsi se procurer un grand nombre de produits précieux introuvables dans la vallée de Mexico : coton, cacao, plumes de couleur, jade, coquillages, peaux de jaguar, etc. Le tribut fournissait également des produits d'usage courant : maïs, fèves, miel, encens, etc., des costumes pour les guerriers et des vêtements pour les dames et les seigneurs.

En dehors du paiement du tribut et de l'aide militaire, les villes conquises restaient libres d'organiser leur vie sociale et religieuse comme bon leur semblait. En cas de rébellion, ce qui, en l'absence d'une véritable cohésion politique de l'empire, était fréquent, le tribut doublait.

Tenochtitlan comptait entre 100 000 à 300 000 habitants, selon les estimations. On y distinguait plusieurs groupes sociaux. Les nobles (*pipiltin*) composaient l'élite civico-religieuse et guerrière. Cette élite maintenait des liens étroits avec les élites voisines, à travers un réseau d'alliances matrimoniales. Les hommes du commun (*macehualtin*) se consacraient principalement au travail des terres communales et de celles du seigneur, tandis que les femmes filaient et tissaient. Ceux qui s'avéraient de bons guerriers pouvaient gravir l'échelle sociale. Les artisans (*tolteca*) et surtout les négociants (*pochteca*) bénéficiaient d'une position intermédiaire entre les *macehualtin* et les nobles. Enfin, les esclaves (*tlatlacotin*) étaient au service de leur maître, mais leur condition n'était pas héréditaire : tous les enfants naissaient libres dans l'empire aztèque.

Diego Rivera a représenté l'histoire du Mexique par une série de fresques.

Murale du Palais national de Mexico où l'on retrouve une synthèse de l'histoire mexicaine de l'époque pré-hispanique à 1929. Ces murales furent peintes entre 1929 et 1945.
Photo : Paul G. Adam / Publiphoto.

La mesure du temps et l'histoire mythique chez les Aztèques

Les Aztèques et leurs contemporains, comme les Mixtèques, sont les héritiers d'une longue série de brillantes civilisations qui se sont succédé en Mésoamérique : Olmèques, Zapotèques, Mayas, Teotihuacan, Toltèques, pour ne citer que les plus connues. Tous ces peuples partagent de nombreuses caractéristiques (mode de subsistance, architecture, etc.) parmi lesquelles on retrouve un système symbolique complexe, que les Aztèques ont repris et transformé.

L'un des traits fondamentaux de ce système est le calendrier divinatoire ou *tonalamatl*. Ce calendrier de 260 jours (20 semaines de 13 jours, associés aux quatre points cardinaux) était consulté pour toute décision importante et pour connaître le destin des nouveau-nés. À cela s'ajoutait un calendrier solaire de 365 jours (18 mois de 20 jours et 5 jours néfastes), dont chaque mois était marqué par de grandes festivités religieuses, associées aux activités du moment (agriculture, chasse, guerre, etc.) et aux dieux qui les régissaient. Ces deux calendriers coïncidaient à tous les 52 ans (et à tous les 104 ans avec le cycle de Vénus), ce que l'on soulignait par le rite du « feu nouveau ». On craignait particulièrement la fin du monde à cet instant.

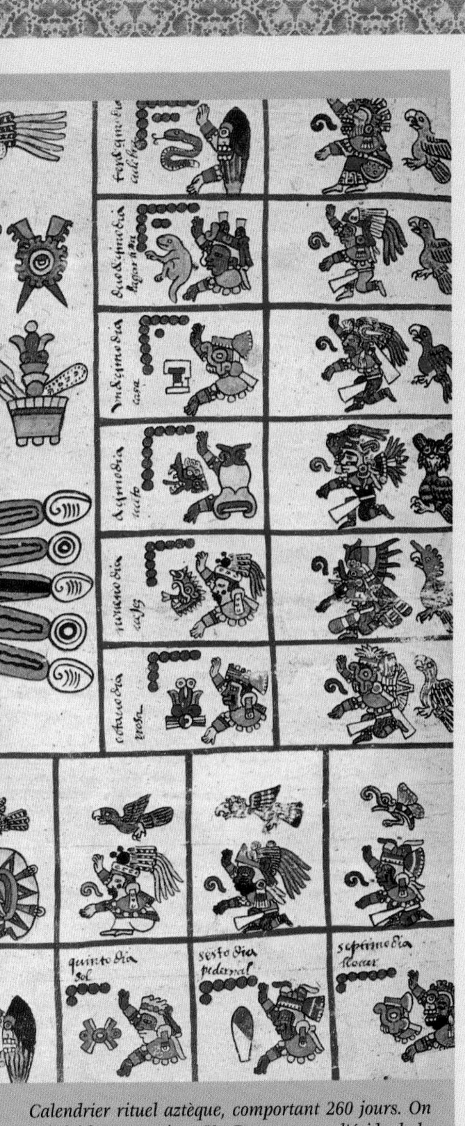

Calendrier rituel aztèque, comportant 260 jours. On voit ici la 5e semaine «Un Roseau» sous l'égide de la déesse de l'eau Chalchiuhtlicue. À ses pieds jaillit un torrent qui emporte les symboles de l'humanité (une femme et un homme), de la guerre (des armes) et de la religion (une coiffe).

Illustration tirée du Codex Borbonicus. Codex du Corps législatif y 120.

Photo: Bibliothèque de l'Assemblée nationale française de Paris.

En effet, selon la mythologie aztèque, quatre Soleils ou ères s'étaient succédé depuis la création du monde, chacun terminé par une catastrophe: déluge, invasion de jaguars féroces, pluie de feu et ouragan. Le cinquième Soleil, celui où fut enfin créée la véritable humanité, se nommait Nahui Ollin, «Quatre Tremblement de terre» (il s'agit d'une date du calendrier), parce que, pensait-on, il s'achèverait par un gigantesque séisme.

Sous le règne de Itzcoatl (1427-1440), les autorités civico-religieuses décidèrent de forger une «histoire officielle» conforme aux ambitions politiques de l'heure: la «migration des Aztèques».

Selon cette histoire, sous l'ordre de leur dieu Huitzilopochtli, les Aztèques quittèrent leur cité paradisiaque d'Aztlán pour aller au-devant du destin glorieux qui les attendait plus au sud. C'est ainsi qu'ils atteignirent la vallée de Mexico où un signe divin, un aigle perché sur un figuier de Barbarie, leur indiqua l'emplacement de la future Tenochtitlan. Tout au long de ce mythe l'importance du sacrifice humain est mis en valeur. En effet, Nahui Ollin, le Soleil, a besoin de sang et de cœurs humains pour se mouvoir, et les Aztèques devaient veiller à ce qu'il n'en manque pas. C'est là une idéologie en accord avec leurs ambitions expansionnistes, puisque ce sont les prisonniers de guerre que l'on sacrifiait.

La Guerre fleurie

La « Guerre fleurie » (*xochiyaoyotl*) est un type très particulier de rencontre guerrière. La *xochiyaoyotl* se pratiquait avec un groupe plus ou moins de même force que les Aztèques et situé à proximité de Tenochtitlan. D'un commun accord, on ménageait régulièrement des rencontres entre élites guerrières dans un terrain neutre frontalier, soit dans la vallée de Puebla ; on tentait alors de faire un maximum de captifs, sans tuer d'ennemis. D'où son nom de guerre fleurie, car la fleur symbolisait à la fois le sacrifice humain, la noblesse des sentiments et les privilèges de l'aristocratie.

Au XIVe siècle, les Aztèques disputèrent pendant plusieurs années des rencontres fleuries avec les gens de Chalco, seigneurie située au sud de Tenochtitlan. Puis la *xochiyaoyotl* cessa et les Chalca furent conquis. Mais au XVe siècle, la Triple Alliance se tourna vers Tlaxcala et ses cités alliées de la vallée de Puebla (Huexotzinco et Cholula) et la *xochiyaoyotl* prit une envergure jusqu'alors inconnue. Lors de l'arrivée des Espagnols, cette guerre fleurie, épuisante pour les Tlaxcaltèques, était encore en cours. Ces derniers s'allièrent donc aux conquistadors, pensant ainsi en finir avec les Aztèques.

Comment expliquer la reprise de la *xochiyaoyotl* ? Tout d'abord, on veut intensifier les sacrifices aux dieux, surtout depuis qu'une terrible famine a frappé Tenochtitlan. Les autorités civico-religieuses de Mexico-Tenochtitlan étaient convaincues que ce fléau avait été envoyé par leurs dieux parce que le peuple Mexica ne leur avait pas offert assez de sacrifices. Pour y remédier, habilement encadrés par Tlacaelel, le *Cihuacoatl* (femme-serpent ou vice-roi) de Mexico-Tenochtitlan, ces mêmes autorités décidèrent de réactualiser le *Xochiyaoyotl* ou Guerre fleurie. Or plus l'empire s'étend, et plus il faut aller chercher loin les captifs. Le fait de cibler une région voisine permet aux deux camps d'avoir des prisonniers à portée de la main. Mais surtout, c'est une stratégie militaire, un bon moyen d'épuiser à peu de frais un ennemi un peu trop puissant. Tlaxcala et ses alliées font peser une menace sur les voies commerciales vers la côte du Golfe. Plutôt que de s'engager dans une guerre coûteuse à l'issue incertaine, ou de conclure une alliance qui viendrait morceler le tribut, on gruge peu à peu les forces de l'ennemi pour mieux le soumettre le moment venu.

Représentation du XVIIe siècle des sacrifices humains à Huitzilopochtli, dieu de la guerre.
« L'IDOLE VIRTRILIPURTLI ». Gravure tirée de Dom Antoine de Solis, *Histoire de la conquête du Mexique ou de la Nouvelle Espagne*, traduite de l'espagnol à Paris, avec privilège du Roy, MDCXCI. Musée de la civilisation, bibliothèque du Séminaire de Québec, fonds ancien.
Photo : Jacques Lessard.

L'homme à cheval est un des symboles de l'américanité.

VAQUEROS. Lithographie de C. Nebel, 1836.
Photo : Edimedia / Publiphoto

2 Le creuset colonial et les nouvelles frontières de l'imaginaire

LÀ OÙ IL N'Y A PAS D'ARGENT,
LÀ N'ARRIVE PAS L'ÉVANGILE

Fray Alonso de la Mota y Escobar
Évêque de Tlaxcala, XVIIe siècle

LA QUESTION DE L'ORIGINE EST LE
CENTRE SECRET DE NOTRE ANXIÉTÉ
ET DE NOTRE ANGOISSE.

Octavio Paz, *Le labyrinthe de la solitude*

« MON CRÂNE, MURMURA L'AXOLOTL,
EST LE CRÂNE DE L'INDIEN, MAIS
SA MATIÈRE GRISE EST EUROPÉENNE.
JE SUIS LA CONTRADICTION DANS
LES TERMES. »

Roger Bartra, *La jaula de la melancolía*

El Bajío, décembre 1991. Dans l'autobus qui traverse le plateau sec et froid en direction de Guanajuato, le voyageur rêvasse. Tout à coup, au milieu du maquis de *mezquites* et de cactus-cierges, il aperçoit six hommes, vêtus de laine et de cuir; des chevaux sont attachés à l'écart. Sur un feu de broussailles, les hommes retournent rapidement des tiges de figuiers de Barbarie (*nopales*) pour en faire tomber les épines et les jettent devant le bétail attroupé qui attend ce substitut à l'herbe inexistante. Hormis leur peau brune et leurs chapeaux à large bord, rien ne distingue ces *vaqueros* des cow-boys qui ont été pour le monde entier l'un des symboles de l'américanité conquérant un continent... précisément *contre* les Indiens et les *bandidos* mexicains!

Lieu de promenade dans les jardins attenants à la basilique Notre-Dame de la Guadalupe.
Photo : Edward Dawson, 1993.

C'est longtemps après que l'ethnologue pourra retracer le parcours de cette *culture de l'homme à cheval*, d'abord implantée par des colons andalous sur les hautes terres du Jalisco, émigrant ensuite vers le nord avec les Métis et les Créoles, au fur et à mesure que la découverte de mines d'argent étendait la frontière de la Nouvelle-Espagne sur les terres des Indiens nomades ; dans les *haciendas,* à proximité, on produira les bêtes de trait et de somme, les cordages et la sellerie, le blé et le maïs. Des descendants de ces colons, porteurs de cette variante *charro* de la culture mexicaine, seront annexés par les États-Unis, en même temps que le Texas et le Nouveau-Mexique. Rebaptisé *western,* leur mode de vie poursuivra sa migration vers le nord, jusqu'en Alberta, emportant en témoignage de ses origines un lest de termes espagnols : *rancho* (ranch), *lazo* (lasso), *corral* (enclos), *bronco,* (« cheval sauvage ») et jusqu'à l'*estampida* (« mêlée ») devenue *stampede* !

Pèlerinage à Notre-Dame de la Guadalupe à Mexico.
Photo : Paul G. Adam / Publiphoto.

VIRGEN DE GUADALUPE CON APARICIONES. (La Vierge de la Guadelupe et ses apparitions.) Huile sur toile. 168 x 106 cm. XVIe-XVIIe siècles. Museo de la Basílica de Guadalupe.
Photo : Luis Pérez Falconi et Óscar Necochea.

Quelques heures plus tard, le voyageur parcourt les rues de la ville coloniale, particulièrement achalandées. Même s'il reste encore deux semaines avant Noël, les gens se pressent devant les boutiques qui regorgent de sucreries, de fruits, de jouets. Par la porte ouverte d'une église à la façade défraîchie, il aperçoit une femme qui allume un cierge devant une statue de la Vierge, déjà fort illuminée. Demain, 12 décembre, ce sera l'*autre* fête nationale des Mexicains, celle de Notre-Dame de la Guadeloupe. La tradition veut qu'à cette date, en 1531, sur la colline rocheuse du Tepeyac, près de Mexico, cette Vierge d'Espagne soit apparue à l'Amérindien Juan Diego et, sur la couverture qu'il portait, aurait imprimé son image ; celle-ci devint rapidement l'objet privilégié du culte catholique au Mexique. Sur cette même colline, rappelle cependant fray Bernardino de Sahagún, les autochtones rendaient un culte à la déesse-mère, *Tonantzin*, et c'est avec ce même nom qu'ils désignent encore la Vierge brune, la *Virgencita de Guadalupe*.

Le syncrétisme colonial se manifesta également dans l'*espace*. L'Espagne appliqua au Nouveau Monde un nouveau concept d'urbanisme, un quadrillage ouvert structuré à partir d'une place centrale; dans les villes minières, comme Guanajuato, ce modèle a

SAINT JEAN L'ÉVANGÉLISTE.
Bois polychrome. XVIe-XVIIe siècles.
Museo Franz Mayer.
Photo: Luis Pérez Falconi et Óscar Necochea.

Ces étals d'objets de piété font partie depuis longtemps du paysage du Mexique.
Photo: Gamma / Pono Presse Internationale, 1986.

dû s'adapter à la topographie accidentée. Dans le *centro* baroque, le raffinement de l'architecture et la splendeur des églises témoigne encore de la fortune des *criollos*. Tandis que dans les maisons d'*adobe* des faubourgs s'entassaient les *castas:* Métis, esclaves libérés et Amérindiens fuyant la sujétion des communautés. L'espace autochtone a lui aussi été transformé par le regroupement en *congregaciones*, la construction de l'église et des bâtiments publics, le réseau de *caminos reales* (pistes pour les trains de mulets et les charrettes). Les toponymes amérindiens se virent doublés du nom d'un saint, qui devint le saint patron du village. Dans le refuge des communautés, l'imaginaire autochtone réussit à préserver des pans entiers de ses systèmes de représentations et de ses pratiques rituelles antérieures, auxquels s'attaqueront périodiquement

Selon Octavio Paz, la célébration mexicaine n'est pas seulement, comme toute fête, un retour cyclique, bénéfique, et finalement contrôlé, au Chaos initial, un culte conscient ou inconscient rendu aux forces de la Vie et de la Fertilité, face à la Mort. Elle est aussi éclatement, explosion des passions trop longtemps contenues derrière le masque impassible ou les rituels de la conformité.

Fête des Morts (Día de los Muertos) dans l'État de Michoacan, vers 1990.
Photo : S. Clément / Publiphoto.

des «extirpateurs d'idolâtrie» (tel Ruíz de Alarcón, au XVIIe siècle).

Par ailleurs, en découvrant l'importance du *temps sacré* chez les autochtones, l'Église entreprit rapidement de substituer son propre cycle de fêtes au calendrier païen, ce «compte des jours» (*tonalpohualli*) aztèque, admirablement décrit par le franciscain Sahagún. Il en résulta une fusion (imprévue) des significations anciennes et nouvelles: Tlaloc, dieu de la pluie, fut associé à saint Jean, dont la fête marque le début de la saison des orages; l'ancienne fête des Morts se juxtaposa à la Toussaint. La sacralisation du temps demeure une dimension essentielle de la mexicanité contemporaine et se manifeste dans la *fête*: «Nous sommes, écrit encore Octavio Paz, un peuple rituel.[...] Les fêtes sont notre seul luxe[9].» En même temps, souligne l'auteur, la célébration mexicaine n'est pas seulement, comme toute fête, un retour cyclique, bénéfique, et finalement contrôlé, au Chaos initial, un culte conscient ou inconscient rendu aux forces de la Vie et de la Fertilité, face à la Mort. Elle est aussi éclatement, explosion des passions trop longtemps contenues derrière le *masque* impassible ou les rituels de la conformité: on boit, on chante, on plaisante, mais parfois on agresse aussi.

Dialogue :

Thomas Gage, don Diego Gálvez, doña Mónica Acuña de Gálvez

Guanajuato, 1625. Sur la petite place encombrée de charrettes, de coffres et de ballots, un étranger régla parcimonieusement ses comptes avec le muletier, qui lui remit son mince bagage et disparut en marmonnant un *¡Dios le ayude, padre!* Le nouveau venu observa un instant la foule bigarrée : les pourpoints des commerçants côtoyaient les habits poussiéreux des soldats, et les larges hauts-de-chausses et les couvertures colorées des portefaix amérindiens. Il pensa qu'après une journée de jeûne, il prendrait volontiers un bouillon dans une des deux auberges qui flanquaient la place ; mais on

ENTIERO. (Banquet d'enterrement.)
Terre cuite et fil de fer.
24 x 46 x 22 cm. XXe siècle.
Museo Ruth Lechuga.
Photo : Luis Pérez Falconi et Óscar Necochea.

Sœur Juana Inés de la Cruz, poétesse et philosophe, un des grands esprits du XVIIe *siècle mexicain, vit sa bibliothèque confisquée par son confesseur. L'Église dominée par le rigorisme de l'Inquisition bâillonnait la production littéraire et artistique.*

Portrait de sœur Juana Inés de la Cruz attribué à Juan de Miranda (1680-1714).
Photo : Dirección General del Patrimonio de la Universidad Nacional Autónoma de México, Mexico.

l'avait prévenu qu'à Guanajuato, tout valait son poids d'argent et qu'on aurait peu de considération pour sa robe de dominicain. En outre, malgré son sauf-conduit, il savait que son accent le rendrait suspect aux soldats. Il restait à espérer que ce Diego Gálvez, pour lequel il avait une lettre d'un avocat de Mexico, soit chez lui et veuille bien l'inviter à sa table. En demandant plusieurs fois son chemin, il traversa un dédale de ruelles, tout aussi encombrées que la place, et s'arrêta devant une façade de pierres grises, dont

« THOMAS GAGE ». Gravure tirée de Thomas Gage, *Nouvelle Relation, contenant les voyages de Thomas Gage dans la Nouvelle Espagne, ses diverses aventures et son retour par la province de Nicaragua jusqu'à la Havane,* Tome I, Amsterdam, 1720. Musée de la civilisation, bibliothèque du Séminaire de Québec, fonds ancien. Photo : Jacques Lessard.

l'unique ornement était l'énorme porte en bois, munie de ferrements. Une jeune Indienne vint lui ouvrir, le fit entrer dans une salle entourée de bancs de bois, et lui dit qu'elle allait prévenir le maître.

Deux heures plus tard, il s'asseyait à table, en compagnie de don Diego et de son épouse. Don Diego, le teint plutôt blafard et le crâne dégarni, portait un pourpoint neuf, à boutons d'argent, tandis que l'hôtesse, le teint mat, les yeux et cheveux noirs, avait une jupe richement brodée aux motifs de fleurs et d'oiseaux et une blouse de fine toile de Hollande, aux manches de dentelles ; les perles et l'or du collier témoignaient de l'aisance de la famille. La table était richement mise : nappe brodée, porcelaine qui lui rappelait celle de Talavera, ustensiles d'argent. La viande rôtie dégageait un parfum délicieux et, à côté de l'inévitable *mole*, rouge et vert, il y avait du pain et du vin, ce à quoi il n'avait pas goûté depuis son départ de Mexico ; en route, il avait partagé les *tortillas* et *tamales* des muletiers, agrémentées de haricots noirs et d'un peu de lard.

« Si nous reprenions, dit don Diego, notre conversation de tout à l'heure. D'abord, je n'ai pas très bien compris le but de votre voyage en notre pays.

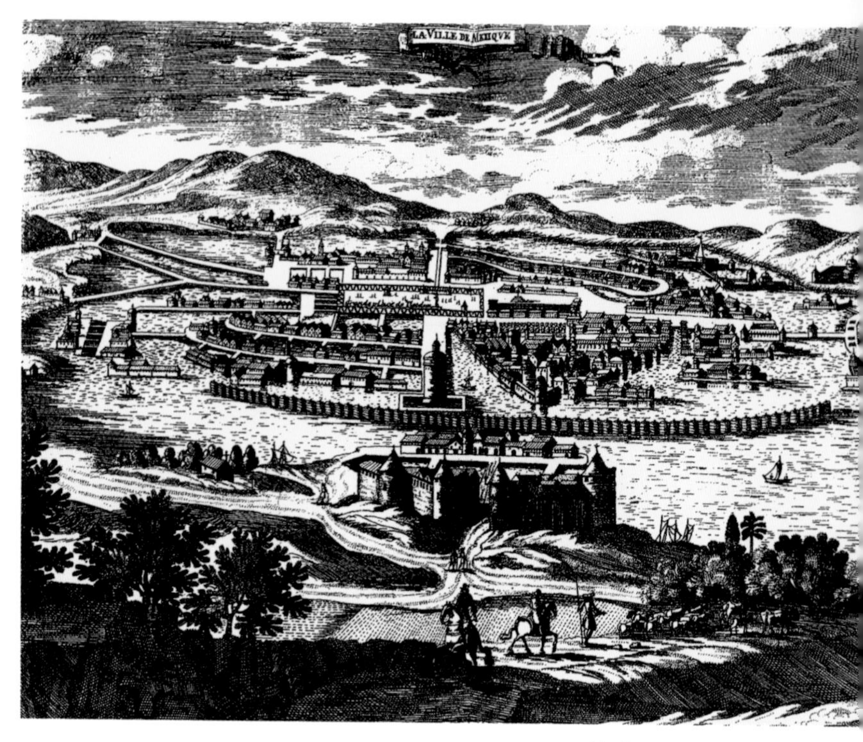

«Mexico». Gravure tirée de Dom Antoine de Solis, *Histoire de la conquête du Mexique ou de la Nouvelle Espagne*, traduite de l'espagnol à Paris, avec privilège du Roy, MDCXCI. Musée de la civilisation, bibliothèque du Séminaire de Québec, fonds ancien.

Photo : Jacques Lessard.

— Bien sûr. Comme je vous le disais plus tôt, mon nom est Thomas Gage. Je suis né en Irlande où ma famille fut persécutée pour sa foi catholique depuis qu'Élizabeth, la reine hérétique, a usurpé le trône d'Angleterre. À tel point que mon père a dû m'envoyer étudier en Espagne, chez les dominicains ; j'y suis resté douze ans et j'ai été ordonné prêtre l'an dernier. Comme on manque de religieux pour prêcher la foi aux Philippines, je me suis porté volontaire, avec vingt-six de mes confrères, et nous sommes arrivés avec la flotte à Veracruz, après quarante-deux jours de mer. Depuis, je demeure à Mexico, en attendant le départ du galion des Philippines. Je profite de mon séjour pour visiter la Nouvelle-Espagne, et vous dirai que ce que je vois dépasse encore l'image que je m'en étais faite avant mon départ d'Espagne. Ayant entendu parler de vous par le *licenciado* Velásco, qui vous a en très haute estime, et voulant connaître aussi la ville et les mines de Guanajuato, j'ai obtenu licence de mon supérieur et me voici, après dix jours de voyage, en charrette, à dos de mulet et le plus souvent, à pied.»

L'hôte et sa femme semblaient heureux de la présence à leur table d'un étranger, dans cette petite ville où l'élite dont ils faisaient partie était assez restreinte et où on revoyait toujours les mêmes visages.

«Vous avez raison de vous intéresser aux mines, reprit don Diego, en faisant signe à une servante de remplir les verres. Fermez les mines d'argent et les vice-royaumes de Nouvelle-Espagne et du Pérou disparaîtront, et l'Espagne elle-même fera banqueroute. C'est bien ce qui risque d'arriver si les choses continuent à ce train! Les *gachupines* nous accablent d'impôts et ces grands seigneurs de Mexico dépensent sans compter les milliers de pesos de leurs rentes et prébendes, car ils ne connaissent pas le travail qu'il faut pour produire une pièce de huit. Je vous emmènerai demain à la mine La Nueva, dont j'ai hérité de mon père (Dieu ait son âme!).

De tels secrétaires de «style allemand» furent en vogue en Espagne et en Nouvelle-Espagne. À leur ouverture, ils offrent un panneau et de petits tiroirs. Le panneau servait d'écritoire. Au Mexique, c'est surtout à Oaxaca qu'on a fabriqué ces petits bureaux.

Bufetillo (Petit bureau). Bois décoré au zulaque, XVIIe siècle, 39 x 53 x 29 cm. Oaxaca. Museo Franz Mayer. Photo: Luis Pérez Falconi et Óscar Necochea.

FEMMES INDIENNES EN VÊTEMENTS TRADITIONNELS REVENANT DU MARCHÉ. Photographie tirée de *Thomas Gage's Travels in the New World.* Photo: University of Oklahoma Press, Norman, 1958.

«Vous pourrez voir le procédé, il n'a pas changé depuis un siècle. Les mineurs apportent le minerai jusqu'au puits central, d'où on le hisse avec des poulies. Pour obtenir l'argent, il faut ensuite le broyer avec des meules aux dents de fer, que font tourner des mulets. Au début, me disait mon père, on le fondait ensuite en le mêlant à du charbon de bois. C'est plus rapide, pour le minerai de haute teneur, mais il fallait beaucoup de bois et cette région en a peu. C'est Bartolomé Medina, à Pachuca, qui a le premier fixé le métal avec du vif-argent; c'est plus pratique, surtout si la teneur est faible. Malheureusement, comme le vif-argent doit être importé d'Espagne ou du Pérou, ces messieurs du fisc savent toujours à peu près la quantité que nous extrayons, et sur laquelle il faut payer le droit de quint au roi!

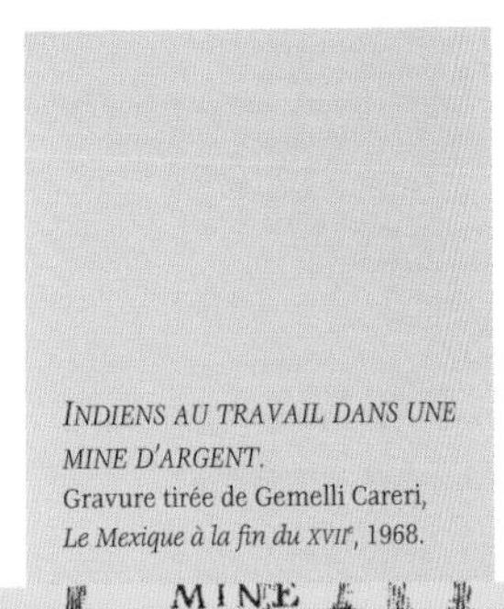

INDIENS AU TRAVAIL DANS UNE MINE D'ARGENT.
Gravure tirée de Gemelli Careri, *Le Mexique à la fin du XVIIe*, 1968.

«Lorsqu'on a découvert ces gisements, il y a soixante-quinze ans, il y avait trois grands obstacles à leur mise en valeur: les Indiens, la main-d'œuvre et le combustible. Les Indiens d'ici ne sont pas traitables, comme ceux du Sud. Mon grand-père, Simeón Gálvez, me racontait comment les Chichimèques épiaient les convois, pendant des jours, se tenant hors de portée des fusils. Puis, une nuit, ils attaquaient. Parfois, ils massacraient tout le monde, mais souvent, ils se contentaient de voler les mulets, dont la viande est un régal pour eux. Il a fallu convaincre le vice-roi d'envoyer des détachements de cavaliers pour les exterminer dans leurs repaires au cœur des montagnes. Je me souviens d'en avoir vus, enfant; ils étaient nus, hommes et femmes, avec de curieux tatouages. Les expéditions les ramenaient comme esclaves à Mexico; ici, ils se seraient sauvés tout de suite, car ils connaissent bien le pays. C'est d'ailleurs ce qui arrive dans les missions où les jésuites ont essayé de les fixer depuis.

«Pour le travail, mon grand-père faisait venir du Sud des Indiens de *repartimiento*: il les nourrissait et leur donnait un *real* par jour. Ils devaient travailler jusqu'à l'arrivée de leurs remplaçants. Beaucoup mouraient, disait mon grand-père, de fièvre ou de mal d'estomac, mais surtout à cause de la tristesse d'être éloignés de leurs villages. Depuis, plusieurs ont pris l'habitude de rester, surtout des

journée et ils s'occupent eux-mêmes de leur entretien. Ils travaillent mieux que leurs pères mais ils ont pris des vices aussi ; ils sont ivrognes et menteurs. Certains descendent voler du minerai dans des galeries abandonnées, le fondent et le revendent aux *castas* qui pullulent en ville ; parfois les galeries s'effondrent sur la tête de ces vauriens… »

Doña Mónica Acuña de Gálvez interrompit son mari d'une façon qui surprit Gage : « Il ne faut pas trop ennuyer notre hôte avec la mine, monsieur. Dites-moi plutôt, mon père, comment avez-vous trouvé la Nouvelle-Espagne, et Mexico ? »

Gage regarda d'abord don Diego et, avec son assentiment tacite, répondit, pendant qu'on remplissait à nouveau les verres : « On parle beaucoup de la richesse du Nouveau Monde en Europe mais, même en Espagne, peu de gens connaissent autre chose que ses côtes et ses ports. C'est pourquoi le pays m'a d'abord frappé par son extension et la diversité de ses climats, bien que je n'en aie vu qu'une petite partie. À Veracruz, il

Plaza Mayor à Mexico, la principale place de la Nouvelle-Espagne. On y voit, au-devant de la cathédrale et du Sagrario, la statue équestre de Charles IV. À gauche, le palais du vice-roi.

Vue de la Plaza Mayor de la ville de Mexico, 1797. Réalisé par José Joaquín Fabregat.
Photo : The University of Texas, Austin.

faisait plus chaud qu'à Séville et plusieurs de mes compagnons en ont été malades. Par contre, dans les montagnes qu'il faut traverser pour se rendre à Mexico, il fait froid et il bruine comme à Londres en hiver! Et dans les grandes plaines qui entourent Mexico et Puebla, on a toujours chaud le jour et froid la nuit, comme en Castille. Le climat y est beaucoup plus sain et je comprend que la plupart des Espagnols s'y soient établis et que leurs établissements y aient prospéré, alors que sur la côte, à part les commerçants et les religieux, on rencontre surtout des Noirs et des mulâtres. Les villes que j'ai vues sont tout à fait comparables à celles d'Europe, particulièrement Puebla et Mexico, qui sont mieux tracées que Burgos et Séville. Les églises sont richement ornées : une petite chapelle contient plus d'or et d'argent qu'une cathédrale d'Europe! Et tout cela, m'a-t-on dit, provient surtout des donations que leur font des personnes pieuses. Tant d'or a même changé les mœurs des ordres mendiants : dans plusieurs monastères, j'ai vu des dominicains et des franciscains qui faisaient bonne chère, portaient habits et bas de soie, et n'allaient qu'à cheval!

Intérieur de la chapelle de los Reyes dans la cathédrale de Puebla.
Photo : Edward Dawson, 1997.

Virgen de Guadalupe. (Vierge de Guadalupe.). Art plumassier. 27.3 x 21.5 cm. XXe siècle. Museo Nacional de Culturas populares.
Photo : Luis Pérez Falconi et Óscar Necochea.

« À Mexico, j'ai remarqué que les particuliers mènent aussi grand train. Je crois que sur trente mille Espagnols que compte la ville, la moitié doivent rouler carrosse! Et les montures sont aussi parées que les gens! J'ai même vu des brides cloutées d'argent! »

Le moine avait parlé avec un tel enthousiasme que ses hôtes éclatèrent de rire. Don Diego lança :

« J'ai séjourné trois ans à Mexico, dans ma jeunesse ; mon père s'était mis en tête de faire de moi un avocat ! Et j'ai pu vérifier le dicton : "Il y a à Mexico quatre beautés : les femmes, les églises, les rues et les chevaux."

– Vous devriez exclure les églises, intervint doña Mónica, car je crois que vous ne les avez guère fréquentées ! » S'adressant à nouveau à l'Irlandais, elle poursuivit : « Vous ne parlez que des gens de qualité. Quelle impression vous ont faite les Indiens ? Et les Métis et mulâtres dont on dit qu'ils sont maintenant fort turbulents à Mexico ?

– Je n'oserais porter de jugement si vite. Les Indiens que nous avons croisés tout au long du voyage de Veracruz à Mexico me sont apparus bien humbles et d'une grande dévotion, et j'avais du mal à imaginer que leurs aïeux aient pu égorger des milliers de victimes sur les autels de leurs dieux et combattre farouchement les Espagnols. Par ailleurs, il reste bien peu de choses des anciennes villes et royaumes dont parlent les chroniqueurs. De Veracruz à Mexico, nous avons souvent cheminé des jours sans rencontrer de village ni de hameau. Il y a davantage de Naturels dans les terres plus froides, mais à Mexico, on dit qu'il en reste pas plus de cinq mille sur les cent mille qui s'y étaient établis après que Cortés eut fait reconstruire la ville.

Anonyme. Doña Sebastiana Inés Josefa de San Agustín. Femme Indienne cacique. Huile sur toile. XVIIIe siècle. Museo Franz Mayer.

Photo : Luis Pérez Falconi et Óscar Necochea.

Ruines de la chapelle de l'hacienda Chalante au Yucatan qui fut détruite lors de la révolte des paysans Mayas contre les riches propriétaires blancs.
Photo : Edward Dawson, 1997.

« Quant aux *castas*, ils m'ont semblé prendre beaucoup plus de libertés, dans leur conduite et leur apparence, qu'il ne convient à des gens de leur condition. J'ai été surpris de constater le soin qu'ils mettent dans leurs habits, surtout les femmes, en dépit des ordonnances qui le leur interdisent. Je crois que leur nombre et leur arrogance en sont venus à constituer un danger pour l'ordre. On m'a conté comment, l'an dernier, la populace a attaqué et pillé le palais du vice-roi, le marquis de Gelves, qu'elle tenait responsable de la cherté du maïs sur les marchés de la ville. (Même l'évêque, semble-t-il, était d'accord sur ce point.) J'ai été encore plus surpris d'entendre que personne, parmi les Espagnols de la ville, ne vint à son secours. »

Ses hôtes avaient écouté Gage avec attention, Don Diego avec le léger sourire de quelqu'un qui en sait plus long que celui qui parle. Le vin avait redonné de la couleur à son visage. Il enchaîna immédiatement :

«Permettez-moi d'ajouter quelques éléments qui vous aideront à mieux comprendre. D'abord, les trente mille Espagnols dont vous parlez n'existent pas. Sachez qu'il y a en Nouvelle-Espagne deux classes de gens bien distincts: les Créoles et les *gachupines*. Nous, les Créoles, descendons de ceux qui ont conquis ce pays, nous l'avons policé, nous en avons mis en valeur les richesses. Nous savons ce qui lui convient. Mais on nous envoie d'Espagne, en échange des lingots dont nous remplissons les galions, des *gachupines* par centaines, petits messieurs et *hidalgos* désargentés, qui

Dès la conquête, les Espagnols épousèrent des femmes de la noblesse autochtone. Le métissage entre Indiens, Africains et Européens se poursuivit tout au long de la colonie, donnant naissance aux «castas», exclus de l'ascension sociale.

DE ESPAÑOL E INDIA, MESTIZA (père espagnol et mère indienne donne une métisse). Peinture de José Joaquín Magón, fin du XIXe siècle. Photo: Museo Nacional de Etnología.

PARAVENT. Bois. 180 x 500 cm, XIXe siècle Museo Franz Mayer.
Photo : Luis Pérez Falconi et Óscar Necochea.

créent encore plus de désordre par leur sottise et leur inexpérience que par leur rapacité. Les fils du pays, comme nous, sommes les seuls à savoir comment le gouverner.

« Concernant les *castas*, le danger est encore plus grand que vous ne le croyez. Nos lois sont faites pour régler les relations de *deux* castes, les Espagnols et les Indiens. Or les Métis et les mulâtres seront bientôt plus nombreux que nous. Les premiers sont fourbes et vindicatifs, les seconds, fanfarons et vains. Ils ne veulent pas travailler la terre et méprisent les petits métiers qui leur conviennent ; les plus ambitieux n'aspirent qu'à une chose : prendre notre place, ce qui mènerait la Nouvelle-Espagne à sa ruine. Le gouvernement de Mexico a fait preuve de beaucoup de faiblesse à leur égard. L'Église elle-même a jeté de l'huile sur le feu. »

Le visage blême de don Diego s'était empourpré sous l'effet de la colère et du vin. Celui de doña Mónica demeurait impassible, mais ses yeux noirs brillaient de colère. Elle interrompit à nouveau son mari :

Au sommet de la société coloniale se trouvaient les Espagnols et au bas de l'échelle, les Noirs et les Indiens. Dans ce portrait, le peintre a mis l'emphase sur le contraste entre le riche propriétaire terrien d'une hacienda et la population pauvre.

EL SEÑOR AMO (LE MAÎTRE) DE G. MORALES, 1870.

Photo : Denver Art Museum.

« Mon père, il y a encore sur le sujet bien d'autres choses à dire. L'ignorance et l'arrogance des métropolitains est bien connue. La nouvelle supérieure des carmélites, que j'avais invitée, n'a-t-elle pas demandé à Teresa, notre servante, si elle avait déjà vu sacrifier des humains, dans son village ? Teresa a été épouvantée, elle qui est si dévote.

« Mais ce mépris des *gachupines*, que vous ressentez si fort, mon cher époux, n'a d'égal que celui dont vous accablez les gens des autres castes. En Espagne, je passerais pour une Espagnole, car j'ai vu des Andalouses qui sont plus brunes que moi. Mais je suis en fait *castiza*, car mon grand-père paternel était un Métis, venu de la région de Puebla ; il était muletier, et forgeron, et il s'est enrichi ici, à l'époque où on a construit la ville. Mon père a épousé la fille d'un Créole; c'est lui qui a fourni à sa belle-famille les ressources pour mettre en valeur une petite mine. Quant à moi, ma dot a permis de relancer la mine La Nueva, fermée à la mort de mon beau-père. À propos, si vous visitez la mine, ne descendez pas au fond du puits, mon père. L'air y est pourri et même les Indiens doivent remonter constamment pour ne pas suffoquer. Mon mari considère les Indiens comme dociles et loyaux, alors que les Métis seraient menteurs et rebelles. Rien n'est plus faux. Les Indiens, ayant moins de contacts avec les gens de condition, ont peur de nous; quand ils perdent cette peur, rien ne peut les arrêter. Si les autorités sont renversées, c'est d'eux que ça viendra, et non des Métis qui ont plus d'une corde à leur arc et peuvent toujours s'en tirer. C'est tout ce que j'avais à dire. »

Figurines rituelles utilisées pour chasser l'air vicié, lors d'une cérémonie.

Modelage en terre. 17 x 9 cm. XVIe siècle. État de Mexico. Coll.: Rafael Coronel.

Photo: Museo Rafael Coronel, Zacatecas.

Don Diego, passablement ivre, regardait fixement devant lui. Sans lui adresser un regard, doña Mónica quitta la pièce.

Gage prit congé et se retira sans sa chambre. Avant de se coucher, il écrivit dans son carnet: « Les castes se détestent entre elles et cette division est la grande faiblesse de ce pays, bien plus que l'absence de murailles à ses villes. La Nouvelle-Espagne est un immense édifice plein de lézardes et il devrait être facile à une armée rapide et résolue de s'en emparer. Ce que j'en sais maintenant est plus précieux pour le roi James que tous les rapports des flibustiers qui ne connaissent que les lagunes et les forêts des côtes. Et cette terre, une fois conquise, aura grand besoin d'ecclésiastiques. »

Épilogue

Après son retour en Angleterre, en 1637, Thomas Gage se fit effectivement l'apôtre d'une expédition britannique contre les possessions espagnoles. D'abord prévue pour 1648, l'entreprise fut reportée par suite de l'insurrection de Cromwell. En 1655, la marine britannique attaqua d'abord les Grandes Antilles. Mais la résistance fut beaucoup plus forte que prévu et l'expédition se termina après la prise de la Jamaïque. Gage ne fut jamais archevêque de Mexico; néanmoins, converti au protestantisme, il finit ses jours comme évêque anglican de Kingston.

Un peuple métis

Les multiples identités ethniques précolombiennes (Aztèques, Zapotèques...) ont convergé, après la conquête, vers une *condition indienne* commune qui se définissait par opposition à l'Espagnol dominant; ce dernier, à son tour, en s'adaptant au contexte américain, devenait le *criollo* (« Créole »). Entre ces deux pôles, apparaissait, dès la période coloniale, un troisième élément qui n'était ni espagnol, ni amérindien, mais, puisant biologiquement et culturellement aux deux sources, produisait une synthèse nouvelle: celle des *mestizos* ou *ladinos*, Métis. Leur importance démographique croissante (liée à la faible immigration espagnole et à la chute catastrophique de la population autochtone, qui passe d'une quinzaine de millions à environ un million entre 1520 et 1625) en fera le prototype de la mexicanité, après l'indépendance.

La hiérarchie des civilisations rencontra celle des sexes: les Européens prirent des épouses et des concubines amérindiennes; l'inverse fut rarissime. Se créa alors, chez les Métis, un monde de symboles qui s'enracineront: l'Espagnol, l'envahisseur est associé à la figure du Père; l'Amérindien, sa victime, à celle de la Mère... idolâtrée par ses enfants, comme la Vierge de la Guadeloupe.

L'existence de cette toile fut connue au début du XXe siècle.

ANONYME. TABLEAU DES CASTES.
Huile sur toile. XVIe-XVIIe s.
Museo Nacional del Virreinato.
Photo: Luis Pérez Falconi et Óscar Necochea.

izo con Españolo
Cantizo.
Castizo con Española
Español.
Español con Mora
Mulato.
6
7
isco con Española
Chino.
Chino con India.
Salta atras.
Salta atras con Mulata.
Lobo.
10
11
aro con Mulata
Albarazado
Albarazado con Negra
Canbujo.
Canbujo con India.
Sanbaigo.
14
15
pamulato con Canbuja
Tente en el Aire.
Tente en el Aire. con Mulata
Noteentiendo.
Noteentiendo con India
Tornaatras.

VIVA
GUA
DAL
UPE

3 Une idée de nation : naissances et mutilations (1821-1910)

ENTRE LA FAÇADE DE LA NATION LÉGALE ET LA SUBSTANCE DU PAYS RÉEL, IL Y AVAIT UN VIDE. IL FUT COMBLÉ PAR [...] L'HEUREUX SOLDAT, L'HOMME FORT, LE TYRAN.

Carlos Fuentes, *Le miroir enterré.*

C'EST UNE BELLE PROIE POUR QUI SAURA LA PRENDRE.

Désiré Charnay, *Le Mexique 1858-1861.*

Cuetzalan, dans la Sierra Madre orientale, le quinze septembre. Le voyageur a quitté les hauts plateaux, où la courte saison des pluies tire à sa fin, pour le Veracruz, toujours baigné par les vapeurs du Golfe du Mexique. Dès le passage des premiers cols de la Sierra Madre orientale, la plaine sablonneuse et ses collines de pierres cèdent la place à une forêt de chênes et de pins, qui alterne avec les champs de maïs et les pâturages. Les freins de l'autobus bondé gémissent le long de la route en lacets qui descend en s'accrochant au bord des ravins et se perd par moments

ARMURE MILITAIRE.
Métal poli et marqueterie. 43 x 39 cm, XIXe siècle. Museo Regional Michoacano de Morelia, Michoacán.
Photo : Luis Pérez Falconi et Óscar Necochea.

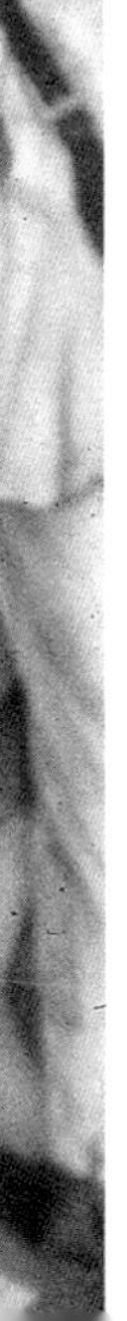

Le prêtre Miguel Hidalgo proclamant l'indépendance (el « Grito »), le 16 septembre 1810.
RETABLE DE JUAN O'GORMAN (1905-1982), MEXICO.
Photo : Edimedia / Publiphoto.

Les Américains prennent le centre de Mexico.

LA COLLINE DE CHAPULTEPEC, 13 SEPTEMBRE, 1847. Illustration tirée *de Picture History Portfolio*, New York Times co., Publisher, 1929. Musée de la civilisation, bibliothèque du Séminaire de Québec, fonds ancien.
Photo : Jacques Lessard.

dans un brouillard dense. De temps à autre une ferme isolée, à flanc de côteau, ou un jeune pâtre qui rassemble ses bêtes pour libérer le passage. Puis l'atmosphère devient moite, la perte d'altitude fait bourdonner les oreilles, les liquidambars couverts d'épiphytes et les fougères arborescentes remplacent les pins. À mi-hauteur, Cuetzalan, d'abord une mer de tuiles ocres en contre-bas de la route, puis l'énorme église de pierres grises et les rues pavées de gros galets. Malgré l'averse qui menace, la petite place est bondée, comme la place du *Zócalo* de Mexico, comme toutes les places centrales du Mexique, le quinze septembre, anniversaire de l'Indépendance.

À vingt-trois heures, le *presidente municipal* (maire) apparaît au balcon de l'hôtel de ville et lance un «*¡Viva México!*» repris en chœur par la foule. Mais don Jaime Jaimez est fils d'immigrants espagnols, dans une municipalité largement indienne et métisse. Devant son hésitation, la foule enchaîne en exultant: «*¡Mueran los gachupines!*» (Mort aux Espagnols!) Tel est «le cri» (*el grito*), qui fut lancé du haut de sa chaire par le prêtre Miguel Hidalgo, le 16 septembre 1810, politiquement modifié depuis, faut-il ajouter; on a supprimé (laïcité oblige) son «Vive la Vierge de la Guadeloupe!» de même que son «Mort au mauvais gouvernement!» qui pourrait provoquer des remous... Malgré sa défaite aux mains des troupes loyalistes, Hidalgo devenait le premier héros de la mythologie mexicaine moderne.

Le monument aux Niños Heroes *avec le château de Chapultepec en arrière-plan.*
Photo: Edward Dawson, 1993.

Sa révolte exprimait le mécontentement des Créoles, exacerbé par les réformes des Bourbons, et elle débouchera sur la **première naissance** du Mexique moderne, aux termes d'une guerre de onze ans (1810-1821). Une fois l'indépendance conclue, cependant, l'éphémère empire d'Iturbide fut suivi par une république fragile, qui vit sa périphérie s'effriter : l'Amérique centrale se détacha, le Chiapas et le Yucatan furent conservés de justesse. Au Nord, dans le distant Texas, les nouveaux colons anglophones déclarèrent, en 1848, une indépendance de façade qui leur permit de se rattacher ensuite aux États-Unis. De la guerre qui s'ensuivit, le Mexique ressortit amputé de la moitié de son territoire. La mémoire collective, elle, s'enrichit de deux figures antithétiques : Santa Anna, le traître, qui signa l'abandon des provinces du Nord, après avoir été incapable de les défendre ; et les *Niños Héroes* (« Enfants héroïques »), ces cadets de l'armée qui se suicidèrent plutôt que de rendre le drapeau. (Modèle encore proposé aux écoliers, qui ne comprennent toujours pas l'utilité du geste.)

La **seconde naissance** du Mexique indépendant – encore plus douloureuse que la première – débuta en 1856 quand les libéraux dirigés par Benito Juárez triomphèrent et décrétèrent de profondes réformes, juridiques et foncières. Les conservateurs ne céderont qu'après trois ans de guerre civile. À peine celle-ci terminée, Napoléon III, qui rêvait d'un empire américain, trouva chez ces conservateurs des alliés et l'*Intervención francesa* valut au Mexique encore six ans de guerre (1861-1867) qui mirent le pays à feu et à sang.

Illustration repésentant un riche propriétaire terrien.

«HACENDADO». Illustration tirée de C. Linati, *Costumes civils, militaires et religieux du Mexique* (dessiné d'après nature). Bruxelles, s.d., Musée de la civilisation, bibliothèque du Séminaire de Québec, fonds ancien.
Photo: Jacques Lessard.

L'imaginaire mexicain s'enrichit ici encore de personnages contrastés. La figure dominante est incontestablement celle de Juárez, le *Benemérito de las Américas* («père des Amériques»). Issu d'un milieu indigène modeste, devenu avocat par ses propres efforts, il est une sorte d'Abraham Lincoln mexicain. Et surtout, après un demi-siècle de défaites, il remporta la victoire sur une grande puissance européenne[10]. Face à l'immense image de Juárez, on trouve la figure tragique de l'empereur Maximilien (et celle de sa femme Charlotte), que ses bonnes intentions n'empêchèrent pas d'avaliser les atrocités de l'armée d'occupation. Si la république restaurée développa un véritable culte à Juárez, qui se matérialisa dans d'innombrables monuments et toponymes, seul le château de Chapultepec, à Mexico, ancien palais vice-royal transformé un temps en résidence impériale, témoigne encore de cette tentative ratée de reconquête du Mexique.

Du long règne de Porfirio Díaz (1876-1910) l'imagerie, tant officielle que populaire, n'a retenu que le dictateur qui, trahissant l'idéal libéral, a instauré un pouvoir despotique, qui a confisqué les terres paysannes et autochtones au profit d'une clique restreinte d'*hacendados*, qui a livré les ressources du pays aux intérêts étrangers et qui a renié sa propre identité au profit d'une culture d'élite importée d'Europe. Tout au plus lui fait-on crédit des 2000 kilomètres de chemin de fer qui constituent encore aujourd'hui les *Ferrocarriles Mexicanos*...

CHEMIN DE FER AU MEXIQUE, VERS 1920.
Photo : Archivo Casasola, INAH.

Sans nier son autoritarisme, l'historiographie récente lui reconnaît le premier effort soutenu de modernisation d'un pays laissé à l'abandon par un demi-siècle de guerres : administration efficace – poste, archives, recensements – système d'éducation, infrastructure urbaine, réseau de communications, reprise vigoureuse de la production agricole et du commerce, amorce (timide) d'industrialisation. Notons que c'est à partir de Díaz que l'État mexicain put construire systématiquement et imposer à l'ensemble du pays un *imaginaire officiel républicain*, avec ses héros, ses temples (les édifices publics somptueux) et ses rituels laïques, dont le plus important demeure *El Grito*. Même en rejetant officiellement le « porfirisme », le Mexique moderne préservera cette symbolique républicaine et patriotique de l'État libéral.

Dialogue :
Claude-Joseph-Désiré Charnay, Benito Juárez, capitán Anselmo

Veracruz, mars 1860. Sur le pont de la goélette qui arrivait au port, le soleil tapait déjà fort, bien qu'il ne fût que huit heures du matin. Parmi les voyageurs et les soldats entassés sur le pont, au milieu des ballots de marchandises, Claude-Joseph-Désiré Charnay, Français de nationalité et explorateur-photographe de profession, regardait pour la seconde fois les maisons basses de la ville: décidément, la «porte du Mexique» était dépourvue de toute grâce architecturale. Seul l'édifice de la douane s'était mérité un cliché. Maintenant, il savait en plus qu'il y régnait une atmosphère étouffante, en raison de son emplacement au milieu des marais et des dunes, et de l'absence de toute verdure. Paradoxalement, c'est de Mexico qu'il arrivait, cette fois, après sept mois d'un périple épuisant, chevauchant à travers les sierras froides et les vallées torrides, jusqu'aux sites de Mitla et de Monte Albán, en Oaxaca, qui lui avaient donné des clichés splendides. Il avait finalement redescendu le Papaloapan en pirogue jusqu'au petit port d'Alvarado. Traversant un pays en pleine guerre civile, il avait été soupçonné d'espionnage, délesté d'une partie de son équipement, et il avait dû laisser deux mulets à un bandit de grand chemin. Il était épuisé et amaigri et les

Joseph Désiré Charnay fut mandaté par le ministère de l'Instruction publique de France pour étudier «les anciennes civilisations américaines».

Illustration tirée de Désiré Charnay, *Ancient Cities of the New World*, Londres, 1887.

Le port de Veracruz en 1907. Photographie tirée de l'abbé J.A. Lippé, *Le tour du Mexique : mon journal de voyage*, 1907. Photo : Jacques Lessard.

objectifs de son expédition n'étaient encore atteints qu'à demi : il lui restait à fixer sur ses plaques les monuments mayas du Yucatan, qu'on ne connaissait alors en Europe que par quelques gravures.

Ce qu'il apprit en débarquant l'ébranla : la ville, aux mains des libéraux dirigés par Juárez, était encerclée par les troupes du général conservateur Miramón, et soumise à un bombardement constant. Les habitants les plus aisés avaient déjà fait embarquer leurs familles pour des endroits moins exposés. Un commerçant français l'informa que la nouvelle de sa mort tragique aux mains de bandes armées circulait... Le Yucatan était lui-même déchiré par le soulèvement des Mayas ; il lui faudrait un sauf-conduit pour pouvoir circuler. Juárez, à qui il adressa une demande, voulut d'abord rencontrer le Français.

Benito Juárez (1806-1872). D'origine autochtone et donc modeste, « Abraham Lincoln mexicain » il devint président et fut le « vainqueur des Français ». Photo : The Bancroft Library University of California, Berkeley.

Quelques jours plus tard, deux soldats vinrent le chercher, en pleine nuit, pour l'emmener auprès de ce président qui n'avait jamais eu encore le contrôle effectif du pays qui l'avait élu, quatre ans auparavant. Après la fouille réglementaire, on le conduisit dans une pièce étroite, encombrée de cartes et de boîtes de documents. Près de

Ce foyer de cérémonie de Teotihuacan est abondamment décoré avec des motifs qui représentent différents aliments et tortillas.

TAPA DE BRASERO TIPO TEATRO. (Couvercle d'un foyer de cérémonie.) Argile polychrome. 38.5 x 34.5 x 27.4 cm. Culture de Teotihuacan. Museo de sitio de Teotihuacan, INAH.

Photo : Luis Pérez Falconi et Óscar Necochea.

la lampe, un petit homme, en redingote et gilet, ne semblait pas incommodé par la chaleur; son visage brun, aux traits fortement marqués, demeura impassible pendant tout l'entretien, tandis que ses yeux noirs ne quittaient pas le visiteur. Debout, près des étagères surchargées, un homme vêtu à la manière des autochtones de la Sierra d'Oaxaca, machette au côté; de sa large ceinture de laine brune dépassait la crosse d'un pistolet. Le président amorça abruptement la conversation:

«Ainsi donc, un *gavacho* veut avoir un sauf-conduit pour le Yucatan. Vous savez que je n'aime guère les Français, depuis la "guerre des gâteaux[11]". Qui me dit que vous n'êtes pas un espion?

– *Señor présidente*, permettez-moi d'abord de me présenter plus amplement. Le but de mon voyage est de faire connaître en Europe, grâce à l'invention moderne de la photographie, les splendeurs artistiques que recèle votre pays. Coupé longtemps de l'Europe par la colonisation espagnole, le Mexique n'a pas encore acquis, dans les milieux cultivés et scientifiques, la reconnaissance qui lui revient de droit. En plus de Paris, j'ai d'excellents contacts en Allemagne et en Angleterre, et même aux États-Unis...

SITE DE MONTE ALBÁN, DANS L'ÉTAT DE OAXACA.
Photo : Laurel M. Cooper, 1984.

Teotihuacan, vue de la pyramide du Soleil en septembre, à la saison des pluies.
Photo : Edward Dawson, 1993.

— Je suis pour le Progrès et la Science, interrompit Juárez, et c'est précisément le sens de la lutte que nous avons menée ; que nous menons, devrais-je dire, car ces fripouilles conservatrices ont refusé d'accepter le résultat des urnes, comme nous l'acceptions, nous, quand c'étaient eux qui gagnaient. C'est pourquoi vous me voyez ici, assiégé dans le pays dont je suis le président ! Ce pays a effectivement eu un passé grandiose, avant que les Espagnols et l'Église ne détruisent tout. J'ai visité Teotihuacan et je suis assuré qu'un jour, on démontrera que cette civilisation tire son origine de l'Égypte ancienne, comme toutes les grandes civilisations, d'ailleurs. En attendant, le drame de cette partie de l'Amérique, c'est qu'elle a été conquise par le pays le plus retardataire d'Europe, l'Espagne de la Sainte Inquisition ! Au Nord, ils ont été plus chanceux, car c'est une nation qui croit au progrès, l'Angleterre, qui s'y est installée. Aujourd'hui, ils ont le chemin de fer, le télégraphe... Connaissez-vous les États-Unis ?

— Oui, j'y ai séjourné plusieurs mois avant de venir au Mexique. J'ai pu y admirer les progrès dont vous parlez. Mais ces progrès ne semblent être là que pour les descendants d'Européens. Les Peaux-Rouges ont été décimés et j'ai été choqué des conditions dans lesquels vivent les esclaves noirs des plantations...

— C'est qu'à part Washington et Jefferson, ils n'ont élu que des politiciens médiocres, et âpres au gain, qui ont su profiter de la sottise des nôtres. Au Mexique, mon gouvernement appliquera intégralement la Déclaration des droits de l'Homme et du Citoyen, produit de votre grande Révolution. Nous avons commencé dès que j'ai assumé mes fonctions. C'est pour les Indiens, avant tout, que je fais cela. J'ai

Les temples de Quetzalcóatl et de Tlaloc à Teotihuacan. En alternance sur toute la surface de la pyramide sont représentés le « serpent à plumes », dieu civilisateur, et le dieu de la pluie, reconnaissable à ses yeux ronds.
Photo : Collection privée, 1995.

Joueur de pelote de Teotihuacan.
Argile polychrome. 15.1 x 8.3 x 3 cm.
Museo de sitio de Teotihuacan, INAH.
Photo : Luis Pérez Falconi et Óscar Necochea.

connu la vie des villages; j'ai gardé des chèvres, moi aussi, dans la montagne. J'ai vu un curé rosser à coups de canne un *mayordomo* qui ne lui avait pas apporté assez d'argent; j'ai vu les gros messieurs d'Oaxaca saouler les Indiens au *mezcal* plutôt que de les payer! Mais ce ne sont pas que des promesses en l'air. Quand j'étais gouverneur d'Oaxaca, j'ai commencé à changer les choses et j'ai vu comment les gens m'appuyaient. Raconte, *capitán* Anselmo, raconte comment ça se passe dans les villages de la montagne.»

En entendant son nom, l'autochtone qui surveillait la fenêtre tressaillit, prit quelques instants pour se ressaisir et commença à parler lentement:

«Bon, ça se passe comme dit don Benito. Avant, le curé de Macuiltianguis nous coûtait plus de quatre mille pesos par an; comme *peones* nous gagnons deux *reales* par jour et il fallait payer vingt-cinq pesos d'argent, cent fois plus, pour un simple mariage! Les *mayordomos* acceptaient leurs charges avec peur, car s'ils ne pouvaient tenir parole, parce que la récolte était perdue ou autre chose, le curé en parlait à l'*alcalde* et ils se retrouvaient en prison. Maintenant, dans la montagne, la plupart des *alcaldes* sont indiens, ils ne touchent pas de salaire, et ils ne chargent rien non plus pour les papiers dont on a besoin. Et le sacristain est toujours là pour ouvrir l'église si on veut faire brûler un cierge à saint Antoine, ou à la Vierge des Douleurs...

— Et les écoles, coupa Juárez, *capitán* Anselmo, parle des écoles !

— Ah oui, les écoles... Ça, ça a été plus difficile. Les gens ne voyaient pas pourquoi les enfants devraient cesser de garder les chèvres ou d'aller chercher du bois, pour apprendre à lire et à écrire en *castilla*. Mais don Benito nous a expliqué que c'était important, que nous nous ferions toujours tromper par les avocaillons et les marchands si nous n'allions pas à l'école. Tous les villages ont dû construire leur école et payer un instituteur ; bon, quand ils peuvent en trouver un, car il n'y a pas beaucoup de gens qui sachent lire, et qui veuillent aller dans nos montagnes... Moi aussi, j'ai appris à écrire, et à lire les cartes d'état-major.

SITE DE TEOTIHUACAN, PYRAMIDE DE LA LUNE EN MARS PENDANT LA SAISON SÈCHE.
Photo : Edward Dawson, 1996.

Face à l'immense image de Juárez, on trouve la figure tragique de l'empereur Maximilien (et de sa femme Charlotte) qui, malgré qu'il fût libéral à ses heures, avalisa les atrocités de l'armée d'occupation.

L'EMPEREUR MAXIMILIEN, VICTIME DE LA POLITIQUE ÉTRANGÈRE FRANÇAISE. IL FUT FUSILLÉ SUR L'ORDRE DE JUÁREZ À QUERÉTARO.
Photo : Roger Violet, Paris.

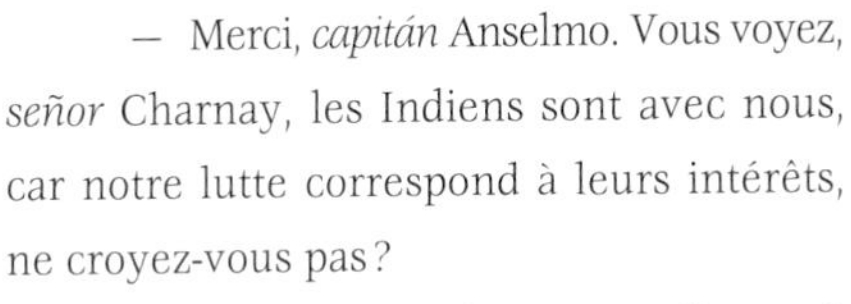

— Merci, *capitán* Anselmo. Vous voyez, *señor* Charnay, les Indiens sont avec nous, car notre lutte correspond à leurs intérêts, ne croyez-vous pas ?

— Je le crois sincèrement, *señor presidente*, du moins pour une grande partie d'entre eux. Mais si la montagne est avec vous, les Indiens des vallées de Mexico et de Puebla semblent plutôt appuyer l'Église et les conservateurs. Il en va de même pour beaucoup de gens pauvres des faubourgs, il me semble. Par ailleurs, les montagnards semblent très éloignés d'une économie moderne ; même les plus aisés des villages dorment sur des nattes, par terre, et vivent dans des chaumières, préférant enfouir leurs pesos d'argent dans des marmites, à ce qu'on raconte.

— Vous avez un bon sens de l'observation. Les Indiens qui vivent près des villes sont asservis depuis si longtemps qu'ils ont perdu même l'idée de ce qu'est la liberté. C'est comme la canaille des faubourgs, qui s'est laissé enrôler par Miramón pour une jarre de *pulque* ! La seule solution, c'est de briser d'un coup leurs chaînes en supprimant l'emprise du clergé, les *mayordomías*, les biens de main-morte, et tout ce fatras.

La république instaurée développa un véritable culte à Juárez, qui se matérialise dans d'innombrables monuments et toponymes; le château de Chapultepec (aujourd'hui Musée national d'histoire), à Mexico, ancien palais vice-royal transformé en résidence impériale, sous Maximilien, témoigne encore de cette tentative ratée de reconquête de l'Amérique.

Le château de Chapultepec.
Illustration tirée de Désiré Charnay, *Ancient Cities of the New World*, Londres, 1887.

Avec des titres de propriété individuels, ils seront incités à investir dans des cultures plus profitables, comme la canne à sucre et le café. S'ils cachent leur argent dans des marmites, comme vous dites, c'est que des fonctionnaires véreux sont prêts à leur arracher leur dernier sou ; j'en ai fait emprisonner plusieurs à Oaxaca, pour l'exemple. Tout ça, nous l'expliquerons aussi à ces malheureux insurgés du Yucatan, quand nous aurons rétabli l'ordre là-bas[12]. Leurs sorciers leur ont fait croire que, grâce aux « croix parlantes », ils pourront rétablir les choses comme elles étaient avant l'arrivée des Espagnols. Vous voyez pourquoi il faut avant tout déraciner l'ignorance. Il me semble que votre pays, où l'on admire tant la culture, devrait nous aider, au lieu de nous chercher noise pour une misérable créance, ne trouvez-vous pas ?

— Sans doute, *señor presidente*, mais il semble que les beaux principes s'arrêtent quelquefois aux frontières. Les richesses du Mexique suscitent bien des convoitises, depuis le départ des Espagnols. Ne craignez-vous rien de la part des Américains, qui ont annexé une grande partie de votre territoire ?

«*ÉCRIVAIN PUBLIC*». Illustration tirée de C. Linati, *Costumes civils, militaires et religieux du Mexique* (dessiné d'après nature). Bruxelles, s.d., Musée de la civilisation, bibliothèque du Séminaire de Québec, fonds ancien. Photo : Jacques Lessard.

— Ne me rappelez pas cette perte, et cette humiliation. Mais leur doctrine Monroe nous protège, à présent. Je vais vous confier quelque chose. Miramón nous bombarde à l'envi, depuis trois mois. Il compte sur deux frégates espagnoles chargées de munitions qui lui sont destinées. Mais des vapeurs américains les ont obligées à rebrousser chemin, avant-hier. Miramón ne le sait pas encore : il dépense présentement ses derniers obus. Bientôt, nous enfoncerons ses lignes et dans un mois, nous serons rentrés chez nous. » À cette idée, il sourit pour la première fois, tandis que le *capitán* Anselmo et les deux soldats de garde, également au courant du « secret », éclataient de rire.

C'est à partir de la sève de l'Agave salmiana qu'est fabriqué le pulque, une boisson fermentée dont la consommation remonte au temps des civilisations préhispaniques. Déjà au début de la colonie espagnole, le chroniqueur Sahagún décrivit les nombreux usages qu'en faisaient les Indiens. L'exploitation dans toutes ses parties de cet agave, de ses racines à ses graines, est très étroitement liée à l'histoire mexicaine.

EXTRACTION DU PULQUE.
Illustration tirée de Désiré Charnay, *Ancient Cities of the New World*, Londres, 1887.

Un officier entra et alla murmurer quelque chose à l'oreille de Juárez. Celui-ci griffonna quelques mots sur un papier qu'il remit à Charnay : « Le devoir m'appelle. Revenez demain matin et présentez ce mot à Andrés, mon aide de camp. Il vous remettra le sauf-conduit. Il faudra être prudent, là-bas. »

«*BERGER*». Illustration tirée de C. Linati, *Costumes civils, militaires et religieux du Mexique* (dessiné d'après nature). Bruxelles, s.d., Musée de la civilisation, bibliothèque du Séminaire de Québec, fonds ancien.
Photo : Jacques Lessard.

Épilogue

Charnay obtint son sauf-conduit, mais son expédition dans un Yucatan en pleine insurrection fut un échec. Par ailleurs, Miramón dut effectivement lever le siège de Veracruz, mais il fallut près de six mois aux troupes de Juárez pour rejoindre la capitale. Moins de deux ans plus tard, cependant, profitant de la guerre de Sécession qui faisait rage aux États-Unis, la France et l'Autriche envahirent le Mexique. Ce qui est peut-être surprenant, c'est que Désiré Charnay, qui venait de publier dans ses souvenirs de voyage un portrait élogieux de Juárez, se joignit aux forces d'occupation, officiellement à titre de membre de la «Commission scientifique du Mexique» créée par Napoléon III. Quinze ans après la déroute des forces d'intervention, il revenait poursuivre son travail d'explorateur-photographe au Yucatan, avec succès, cette fois.

L'imaginaire national

À la fin du XVIIIe siècle, des réformes sociales imposées par la couronne d'Espagne soulevèrent le mécontentement général. Les *criollos* (Mexicains d'ascendance européenne) furent les auteurs intellectuels d'un mouvement d'opposition qui mena à l'indépendance du Mexique en 1821; l'œuvre du jésuite Francisco Javier Clavijero contribua à l'essor du nouveau sentiment d'appartenance à la naissante nation. Né à Veracruz en 1731, professeur de philosophie, lecteur de Descartes, Leibniz, Newton et Gassendi, Clavijero est l'auteur d'une *Histoire ancienne du Mexique* où il réfute les idées de Buffon et de De Paw, pour qui l'Amérique était en tout point inférieure à l'Ancien Monde. Clavijero inaugure le modèle de base dans la production du nationalisme mexicain: enraciner dans le passé préhispanique l'identité contemporaine.

À cette « matrice » viennent s'ajouter des éléments fondamentaux. Des luttes pour l'indépendance de 1810-1821 émergèrent les figures des « pères fondateurs »: Miguel Hidalgo et José María Morelos. C'est aussi à ce moment qu'est créé le drapeau mexicain, qui reprend l'ancien emblême de Tenochtitlan, un aigle sur un figuier de Barbarie.

Miguel Hidalgo y Costilla, intellectuel criollo, et curé de la paroisse de Dolores à Querétaro, est l'auteur du fameux « Grito de Dolores », appel à l'insurrection populaire contre le régime colonial. En peu de temps, il se vit à la tête de 80 000 patriotes et menaça les portes de la capitale. Il est considéré comme le « père fondateur » de la patrie.

Hidalgo, curé de Dolores. Dans son costume de guerre, proclamant l'indépendance du Mexique. Illustration tirée de C. Linati, *Costumes civils, militaires et religieux du Mexique* (dessiné d'après nature). Bruxelles, s.d., Musée de la civilisation, bibliothèque du Séminaire de Québec, fonds ancien.

Photo: Jacques Lessard.

La Réforme (1854-1876) ajouta une figure fondamentale, Benito Juárez : avocat libéral d'origine autochtone, qui devint président et voulut moderniser le pays, promulguant, entre autres, la séparation de l'Église et de l'État. Les interventions étrangères (intervention française, guerre avec les États-Unis) vinrent mettre au premier plan la défense de l'intégrité territoriale. L'hymne national ainsi qu'une pléiade de figures héroïques font leur apparition.

La révolution de 1910 élargit le nombre des figures héroïques, les plus célèbres étant Emiliano Zapata et Pancho Villa qui, grâce à leur action concertée, réussirent à renverser le dictateur Porfirio Díaz. On valorisa le métissage racial et culturel qui caractérise la grande majorité du peuple mexicain. L'espagnol devint la langue nationale, tout comme s'imposa l'idée que l'individu est avant tout un citoyen. Ultérieurement, les peintres muralistes mexicains traduisirent cette matrice de symboles en images.

José María Morelos, curé d'un humble village, leva une armée et forma en 1813 le Congrés de Chipancingo qui rédigea une première constitution. Le bas clergé de la Nouvelle-Espagne se montra dynamique et révolutionnaire.

Le curé Morelos. Un des chefs de l'insurrection mexicaine. Illustration tirée de C. Linati, *Costumes civils, militaires et religieux du Mexique* (dessiné d'après nature). Bruxelles, s.d., Musée de la civilisation, bibliothèque du Séminaire de Québec, fonds ancien. Photo : Jacques Lessard.

La foule célèbre le jour de l'Indépendance, le 16 septembre. C'est la plus grande fête nationale. À cette date en 1810, le prêtre Miguel Hidalgo y Costilla (1753-1811) fut le premier à proclamer l'Indépendance du Mexique.

Antonio M. Ruiz. Desfile cívico escolar. (Défilé civique scolaire.) Huile sur toile. 24 x 33.8 cm. 1936.

Photo : Museo de la Secretaría de Hacienda y Crédito Público, Ville de Mexico.

On vit rapidement apparaître, diffusés par l'industrie culturelle (cinéma, radio et télévision) de nouveaux symboles : la figure du *caudillo*, le *cacique*, la femme guerrillero, l'indien bucolique et bien d'autres. Certaines figures, tels le *charro*, la *china poblana* et le *mariachi*, issues des traditions musicales populaires, furent promues en tant que représentantes de l'identité nationale.

En 1968, le modèle d'identité, les stéréotypes et l'idéologie nationaliste furent massivement rejetés par la jeunesse scolarisée. La certitude que le « système » était corrompu, qu'il y avait diverses catégories de citoyens (les indiens, les paysans, les marginaux et les jeunes), et que la pleine réalisation que cherchaient les individus ne pouvait pas être atteinte avec la matrice culturelle nationaliste, laissa une empreinte profonde dans la conscience des divers groupes mexicains contemporains. En 1994, la Constitution mexicaine fut amendée pour faire place à la reconnaissance officielle des cultures indiennes. L'identité mexicaine est devenue officiellement multiculturelle.

ZAPATA

4 La Révolution: l'éternel retour à la communauté agraire

ADIEU TOURS[13] DU CHIHUAHUA !
ADIEU TOURS DE PIERRE DURE !
FRANCISCO VILLA EST VENU POUR
VOUS ENLEVER VOTRE SAUVAGERIE !
FRANCISCO VILLA EST VENU NOUS
REDONNER LA FRONTIÈRE !

Siete leguas, *corrido mexicain*

LE « ZAPATISME » FUT UN RETOUR
À LA PLUS ANCIENNE ET PERMANENTE DE NOS TRADITIONS.
DANS UN SENS PROFOND, IL NIE
L'ŒUVRE DE LA RÉFORME,
PUISQU'IL CONSTITUE UN RETOUR
À CE MONDE DONT LES LIBÉRAUX
VOULAIENT SE DÉGAGER D'UN
SEUL COUP.

Octavio Paz, *Le labyrinthe de la solitude*

Chiapas, août 1996. Si l'Est fut la principale porte d'entrée des influences (et invasions) européennes, si les plateaux du Centre ont été le laboratoire de la mexicanité, le Sud (qui, culturellement parlant, commence à peu près à la hauteur de Mexico) demeure le bastion principal de l'amérindianité, regroupant plus de 80 % de ses douze millions d'autochtones. Rien d'étonnant à ce qu'il ait fasciné l'ethnologue pendant plus de trente ans. Et c'est dans ce Sud qu'il est retourné, répondant cette fois à l'invitation lancée par un groupe d'insurgés d'un nouveau genre, l'Armée zapatiste de libération nationale. Dans le petit village tzeltal qui s'appelle

Emiliano Zapata, le révolutionnaire mythique et défenseur de la paysannerie. Son cri de ralliement « Tierra y Libertad » se fit entendre dès 1910. Il demeure un héros national, champion de la question de la répartition des terres aux paysans. L'actuel mouvement zapatiste du Chiapas a été nommé ainsi en son honneur.

EMILIANO ZAPATA ET SON LÉGENDAIRE CHEVAL « AS DE OROS ».
Photo : Gamma / Pono Presse Internationale.

maintenant «*Francisco Gómez, antes La Garrucha* (*Municipio rebelde*)», la pluie tambourine sur le carton goudronné des toitures. On a demandé à l'ethnologue de faire une présentation sur le néo-libéralisme, avec traduction simultanée en tzeltal. «Ce serait mieux en partant d'un exemple concret», a-t-il suggéré. D'une voix lente et chantante, en choisissant bien ses mots en espagnol, un des jeunes dirigeants du nouvel *ejido* s'est alors mis à raconter, appuyé aux planches grossières de la table :

«Jusqu'en janvier 1994, cet endroit où nous sommes, c'était l'hacienda Las Delicias. Elle avait 1900 hectares, de la bonne terre, à cause de la rivière ; avec des centaines de vaches, parfois jusqu'à mille cinq cents. Le patron, Fernández, venait une fois par mois, pour faire les comptes avec son gérant ; puis il repartait pour la capitale. Il n'employait que six bouviers (*vaqueros*). Nous, on semait le maïs dans ces collines que tu vois, mais la

Cette première révolution populaire du XXe siècle propulsera à l'étranger une nouvelle image du Mexique, celle de la nation révolutionnaire, à travers les reportages des romans et des films comme Viva México d'Eisenstein et Viva Zapata d'Élia Kazan.

Marlon Brando dans le film Viva Zapata réalisé en 1952 par le cinéaste américain Elia Kazan.
Photo : Gamma / Pono Presse Internationale.

Le général Francisco Villa et les membres de son état-major avant d'attaquer Ciudad Juárez en 1911.
Photo : Edimedia / Publiphoto.

La phase paysanne de la Révolution marqua à jamais l'imaginaire national, comme en témoignent d'innombrables corridos, anecdotes et légendes ainsi que les peintures des muralistes.

Murale de José Chávez Morado au Musée de Guanajuato, (1909-).
Photo : Paul G. Adam / Publiphoto.

provision ne durait que quelques mois. On nous embauchait, parfois, pendant quelques semaines, pour débroussailler les pâturages. En janvier 1994, nous avons pris les armes et nous avons occupé l'hacienda. Certains ont participé à la prise d'Ocosingo, le chef-lieu (*cabecera*). Ensuite, les trois villages ont décidé de regrouper toutes les terres en un seul *ejido* et d'y planter du maïs ; cent quatre-vingts familles y travaillent maintenant. On a fondé "un municipe rebelle". On en avait assez de se taper une journée de marche pour un certificat de naissance, pour se faire dire : "Le secrétaire n'est pas là ; il faudra repasser." Pourquoi le nouveau nom ? Francisco Gómez est un gars d'ici, qui est mort lors de la prise d'Ocosingo. Oui, ici, nous parlons tous tzeltal. Mais on ne parle plus de tzeltals, ou de chols; nous sommes tous *zapatistas.*»

La réforme agraire mise en œuvre par le président Lázaro Cárdenas, après 1936, en plus de satisfaire les revendications paysannes, permit au pays de résoudre le problème lancinant de l'autosuffisance alimentaire. En même temps, la nationalisation de secteurs clés comme le pétrole, l'électricité, les chemins de fer stimulait une industrialisation nationale. Au plan politique, l'État, appuyé sur un parti unique et omniprésent, développait des programmes sociaux (p. ex. l'éducation et la santé), pendant que le pouvoir exécutif s'assurait du contrôle de l'armée ainsi que des organisations syndicales et paysannes. Dans la conjoncture de crois-

Le nouveau président Lázaro Cárdenas (1934-1940), après avoir exilé Calles, apaisera la paysannerie en distribuant dix-sept millions d'hectares de terres. Il calme les ouvriers en permettant la syndicalisation, unifie l'armée et la soumet à l'exécutif, et donne à l'État les moyens d'intervenir dans l'économie en nationalisant les pétrolières américaines.

CÁRDENAS. PRÉSIDENT DU MEXIQUE ENTRE 1934 ET 1940. IL A NATIONALISÉ LE PÉTROLE ET OPÉRÉ DE NOMBREUSES RÉFORMES SOCIALES.
Photo : Archivo Casasolas, México.

Affaibli par les avancées victorieuses des révolutionnaires, le dictateur Porfirio Díaz démissionne après trente-cinq ans de pouvoir. Il s'embarque au port de Veracruz en mai 1911 et mourra en exil à Paris en 1915.

PORFIRIO DÍAZ, 1901.
Photo : Edimedia / Publiphoto.

sance de l'après-guerre, il en résulta une croissance soutenue et une stabilité politique unique dans toute l'Amérique latine.

La Révolution et le régime qu'elle engendra ne firent pas que définir le cours de l'économie et de la politique. À travers la mobilisation des intellectuels et des artistes, c'est toute la culture qui accoucha de formes nouvelles. Le libéralisme du XIXe siècle avait importé l'art pompier, avec le positivisme européen, comme deux des composantes nécessaires de la civilisation; la Révolution, par son retour aux racines historiques du Mexique, déboucha aussi sur des formes littéraires et surtout artistiques qui s'enracineront en profondeur. Le meilleur exemple en est le *muralismo*, dans lequel les Orozco, Rivera, Siqueiros, au-delà du didactisme et du «réalisme social» alors en vogue dans les milieux socialistes, retrouvent les formes fondamentales qui expriment à un peuple encore peu alphabétisé le sens que la Révolution donne à son Passé, à son Présent, à son Avenir.

1910. Les dernières élections forcées en faveur de Díaz avant que Madero ne prenne le pouvoir.
Photo: Archivo Casasola, México.

La vie, les amours et le profond engagement artistique de ces génies de l'art mexicain a fait l'objet d'un succès littéraire de J.M.G. Le Clézio.

Frida Kahlo. Frida et Diego Rivera, *1931. Huile sur toile.*

Photo : San Francisco Museum of Modern Art, Albert M. Bender Collection.

Dialogue :

Alfredo López, Diego Rivera, Frida Kahlo, María Cristina Toledo, Angel Pérez Adrián

Cuernavaca, Morelos, par un samedi après-midi ensoleillé de septembre 1935. La ville blanche est paresseusement lovée dans son écrin de verdure, pas encore flétri par la saison sèche qui commence: vert vif des arbres fruitiers dans les jardins, vert grisâtre des grands platanes de la place et, au loin, au fond de la vallée, vert bleuté des champs de canne à sucre. Dans la rue Abasolo, presque déserte, une automobile est stationnée devant une ferronnerie. À l'étage, une fenêtre est ouverte, mais les persiennes sont encore baissées à cause de la chaleur. Cinq personnes sont réunies. Debout, Alfredo López (que Frida Kahlo avait baptisé *El Mapache*, à cause de ses yeux toujours cernés) en bras de chemise, le pantalon noir froissé et les souliers poussiéreux, préside la réunion. Secrétaire de la Cellule des travailleurs de la culture, il est venu de Mexico la veille, par le train. À côté de lui, énorme, les bras croisés, la veste ouverte, avec aux pieds ses éternelles godasses de chantier, le peintre Diego Rivera, *el Ogro*. Il vient d'arriver de Coyoacán avec son épouse Frida Kahlo, peintre également. En jupe indienne et enveloppée d'un châle bleu, Frida est allée s'asseoir, ostensiblement, de l'autre côté de la pièce. À part Alfredo, Diego et Frida ne connaissaient personne («Où sont les anciens membres du Parti?»). On leur présente *la profesora* María Cristina Toledo, en robe claire, «qui enseigne les beaux-arts à Mexico», (Frida se souvient vaguement de l'avoir vue autrefois, accompagnée d'un

Porfirio Díaz contribua à moderniser le pays mais les contrastes entre pauvres et riches s'accentuent.

PORFIRIO DÍAZ ET SON ÉPOQUE. Détail d'une fresque peinte à l'Hôtel du Prado à Mexico.
Photo : Edimedia / Publiphoto.

militant des chemins de fer) et Angel Pérez Adrián, de la Ligue agraire du Morelos : ses vêtements blancs sont impeccables, mais la boue séchée sur ses sandales atteste qu'il est venu à pied de son village. D'un signe de la tête, Diego a refusé le café offert par *la profesora,* que Frida, Angel et Alfredo ont accepté.

El Mapache s'adresse à Frida et à Diego : « Chers amis (tiens, on ne s'appelle plus camarades ?). Je vous remercie d'avoir accepté cette invitation et de vous être déplacés. J'ai tenu à ce que la réunion ait lieu à Cuernavaca pour deux raisons. D'abord parce que je tenais à ce qu'on puisse se parler tranquilles, loin de la flicaille, et aussi pour que vous puissiez rencontrer, par la même occasion, des nouveaux membres du Parti qui témoignent de notre enracinement tant dans le milieu intellectuel que paysan. Le Parti a beaucoup changé, vous voyez: nous avons réalisé les erreurs passées et modifié notre stratégie, à l'aube d'une période particulièrement agitée et importante pour le Mexique et pour le monde. S'il fallait une troisième raison, j'ajouterais: parce que nous sommes ici à deux pas du Palais de Cortés, Diego, où on peut admirer les superbes fresques que tu as faites il y a six ans...

DIEGO RIVERA (1886-1957). RETRATO DE CUCA BUSTAMANTE.

(Portrait de Cuca Bustamante.) Huile sur toile. 158 x 123 cm. Museo de Arte Moderne.

Photo: Luis Pérez Falconi et Óscar Necochea.

— Et pour lesquelles j'ai été si durement critiqué par le Parti, comme «laquais de la bourgeoisie et du capital étranger» — c'étaient bien vos mots, n'est-ce pas ? Et tout ça parce que c'est l'ambassadeur américain, Dwight Morrow qui, à titre privé, avait financé la restauration!» Le visage de Rivera était demeuré impassible, mais il fixait désormais Alfredo López dans les yeux et sa voix témoignait d'un ressentiment qui ne s'était pas estompé avec les années.

Après le départ de Porfirio Díaz, Madero entra à Mexico, en juin 1911: les guerilleros furent licenciés et les insurgés désarmés. Le Parti catholique donna son appui à Madero, mais celui-ci fut assassiné en 1913 par le général Huerta.

MADERO RECEVANT UN MESSAGE DE PAIX, *MAI 1911.*
Photo: Archives SNARK/Publiphoto.

«Justement, Diego, reprit leur ancien compagnon de lutte, c'est ce dont je veux d'abord discuter ici. Les erreurs de sectarisme commises alors avec vous, et avec d'autres, hélas, provenaient d'erreurs beaucoup plus graves au niveau de la ligne générale. Nous étions un petit groupe d'intellectuels et d'artistes, rappelez-vous. On se réunissait chez Tina Modotti, la belle

Les organisations paysannes dirigées par Zapata et Villa exigèrent et finalement obtinrent de Carranza que soit inscrite dans la nouvelle constitution (1917) la redistribution aux communautés des terres confisquées sous Porfirio Díaz.

FRANCISCO VILLA ET PASCUAL OROZCO LE 11 MAI 1911 QUELQUES INSTANTS AVANT LA TENTATIVE DE SOULÈVEMENT CONTRE MADERO.
Photo : Edimedia / Publiphoto.

Italienne ; même qu'à l'époque, tu t'habillais comme elle, Frida. On écoutait le Cubain Mella nous parler de l'internationalisme, on allait vendre *El Machete* dans les rues et on croyait la Révolution à portée de la main. C'est pourquoi on jouait à qui serait le plus révolutionnaire. Tu te souviens, Diego, comment Tina t'a pourfendu quand Vasconcelos, alors ministre de l'Éducation, t'a chargé de faire les murales pour le Ministère et l'École d'agriculture. Il y avait aussi des jalousies personnelles...

— Tu ne peux pas tout réduire à des "erreurs" de celui-ci et de celui-là, interrompit Frida. Cette ligne ultra-gauchiste venait de Moscou. La preuve, c'est qu'aux États-Unis, nous avons rencontré d'autres artistes et des écrivains qui se faisaient exclure, en même temps, et pour les mêmes raisons.

Le général Obregón a créé une série de nouvelles institutions dont le ministère de l'Éducation publique qui eut comme ministre le dynamique José Vasconcelos.

LE GÉNÉRAL OBREGÓN DÉCORÉ À CALAYA AU MEXIQUE EN 1916.
Photo : Edimedia / Publiphoto.

La Révolution, par son retour aux racines historiques du Mexique, débouche aussi sur des formes littéraires et surtout artistiques qui s'enracineront en profondeur. Le meilleur exemple en est le «muralismo», dans lequel les Orozco, Rivera, Siquieros retrouvent les formes fondamentales qui expriment à un peuple encore peu alphabétisé le sens que la Révolution donne à son Passé, son Présent, son Avenir.

José Clément Orozco, Zapatistas, 1931.
Huile sur toile.
Photo : Edimedia / Publiphoto.

— C'est surtout que nous n'avions pas compris le sens de la révolution mexicaine, Frida, ni ses liens avec la révolution mondiale, poursuivit Alfredo. «Révolution bourgeoise», disions-nous, parce que, contrairement à la révolution russe, elle n'avait pas été menée par le prolétariat. Nous n'avions pas saisi que c'était une étape indispensable pour arriver au socialisme dans notre pays. Qui a déterminé la victoire de la Révolution, là où Madero avait échoué ? Des paysans, comme Villa et Zapata, comme Angel qui est avec nous. Et les paysans ont senti qu'en s'unissant, ils pouvaient renverser le régime. La crise actuelle a accru la misère des campagnes, encore plus que sous Díaz ; la différence, c'est que les paysans n'acceptent plus la famine ni le fouet. Nous sommes ici en plein cœur du pays d'Emiliano Zapata. Le camarade Angel lui-même va vous raconter ce qui se passe aujourd'hui à la campagne et le travail que nous y faisons.»

Il se tourna vers Angel qui toussota avant de prendre la parole, avec l'accent chantant des Nahuas des hautes terres :

«*Bueno*. Comme a dit le camarade Alfredo, nous sommes ici tout près d'Anenecuilco, où Zapata a commencé la lutte agraire qui a renversé la dictature. Mais nous ne vivons pas de souvenirs. Même s'il a incorporé la réforme agraire à la constitution, Carranza n'a jamais eu l'intention de nous redonner nos terres; ni Obregón, et encore moins Calles, qui s'est contenté de pourchasser les curés. Ici, au Morelos, pour un *ejido* qu'on crée, il y a dix dossiers bloqués au ministère. Dans les plantations de canne, rien n'a changé: les mêmes patrons, les mêmes contremaîtres. Pour un oui ou pour un non, on te fout à la porte. Mon beau-frère, qui est cheminot, m'a parlé du Parti. Nous on dit, comme Zapata, qu'il nous faut récupérer les terres qu'on a enlevées à nos grands-pères. Au Morelos, nous n'avons jamais rendu les armes; après l'assassinat de Zapata, d'autres chefs ont surgi. Mais il nous faut une bonne organisation. J'aime bien cette idée de nous unir avec les ouvriers et même avec des gens de la ville qui veulent faire quelque chose pour le pays. La *profesora* m'a emmené voir vos peintures, don Diego, ici, à Cuernavaca, et une fois, au ministère de l'Éducation, à Mexico. C'est important que quelqu'un comme vous – et la *señora* Kahlo aussi – puisse enseigner au peuple avec vos murales...»

Les yeux ardents de Frida ne l'avaient pas quitté une seconde, pendant qu'il parlait. («Lui c'est un vrai, il est sincère; mais les autres!») Diego regardait toujours fixement devant lui. Des gouttes de sueur perlaient à son grand front bombé, mais il n'avait toujours pas ôté sa veste.

Le président Calles est à l'origine du Parti national révolutionnaire en 1929 qui changea son nom pour celui de Parti de la Révolution mexicaine en 1938 sous Cárdenas. Ce même parti, en 1946, prit le nom de Parti révolutionnaire institutionnel (PRI) qu'il a conservé jusqu'à aujourd'hui.

PLUTARCO ELIAS CALLES (1877-1945).
Photo: Archivo Casasolas, México.

Les Adelitas, femmes révolutionnaires, ont joué un rôle essentiel dans la Révolution mexicaine.

«PETIT JOURNAL, 1913». DES FEMMES DANS LA RÉVOLUTION MEXICAINE, PARIS.
Photo: Edimedia / Publiphoto.

Ce fut la *profesora* qui continua:

«Pour nous, les artistes révolutionnaires et pour mes étudiants, camarades — puisque je n'ai jamais cessé de vous appeler ainsi — vous êtes de vrais modèles, des héros dont la vie et l'œuvre sont consacrées au Peuple. Il y a deux ans, nous avons appuyé votre combat contre Rockefeller qui, avec ses millions, voulait t'obliger, Diego, à enlever le portrait de Lénine de ta murale à Radio City. Même les journaux bourgeois t'ont appuyé, même *El Universal*! Cela a contribué à nous faire revoir notre ligne politique concernant l'art et les artistes. L'art révolutionnaire, comme tu le pratiques – comme vous le pratiquez, ajouta-t-elle en s'adressant à Frida – peut nous permettre de rejoindre des secteurs, comme les intellectuels, les petits-bourgeois, qui ne sont pas directement impliqués par la lutte ouvrière, mais qui s'opposent à l'impérialisme. C'est

Après les jours de grande tension, le peuple de la capitale se rend compte que les années du gouvernement de Porfirio Díaz sont terminées. L'enthousiasme se traduit par des manifestations de rue et des fêtes.

Le peuple acclame Madero en mai 1911.

Photo : Edimedia / Archives Casasola.

RÉVOLUTION MEXICAINE, 1916. COMBATTANTS MEXICAINS PENDANT L'INTERVENTION AMÉRICAINE.
Photo : Archives SNARK / Publiphoto.

pourquoi l'art pour l'art, comme le propose le groupe de *Contemporáneos*[14], n'a pas sa place chez nous ; il est objectivement réactionnaire. La semaine dernière, j'ai donné comme thème de discussion à mes étudiants cette phrase de toi : "Ce n'est pas seulement l'Art qui a besoin de la Révolution, mais la Révolution qui a aussi besoin de l'Art." Tu aurais dû les entendre !

« Camarade Frida, je ne connais pas beaucoup tes peintures, mais ceux qui les ont vues disent qu'elles expriment avec une force extraordinaire les sentiments des femmes et la douleur que tu as si souvent éprouvée. C'est une autre chose dont nous ne tenions pas compte, il y a quelques années : l'importance des femmes pour la Révolution. »

Elle se tut. Comme Frida et Diego ne disaient toujours rien, *El Mapache* enchaîna : « Si je peux me permettre de synthétiser ce qu'ont dit les camarades, vous voyez comment nous nous employons à construire au Mexique ce large front populaire antifasciste auquel nous a conviés le dernier Congrès de l'Internationale communiste. Je n'ai pas besoin de vous convaincre de l'importance de ce front, présentement, dans tous les pays. La proposition que vous fait le Comité central est claire : Voulez-vous en faire partie avec nous ? »

Les yeux se fixèrent sur Rivera. Et il parla enfin, lentement d'abord, puis de plus en plus vite en même temps que son ton montait : « C'est donc pour ça qu'on t'a délégué ! D'abord, où est Siqueiros, celui qui m'a remplacé, je crois, au Comité central ? Où sont-ils ceux qui m'accusaient publiquement, et dans les "journaux bourgeois" comme vous dites, madame, de m'être vendu aux Américains en allant faire des murales à la Bourse de San Francisco, puis dans les usines de Ford ? Si Frida et moi avons quitté le pays pendant trois ans, la mort dans l'âme, c'est parce que je ne pouvais plus travailler au Mexique. La droite catholicarde me traitait d'Antéchrist parce que je ne mettais pas de soutien-gorge aux Déesses-Mères indiennes, et parce que mes fresques montrent comment les curés se sont engraissés avec la sueur et le sang des paysans et des Indiens. Je suis heureux que des gens comme toi, camarade Angel, puissent voir mes œuvres, car c'est pour vous que je les ai faites. Mais vous, *mon* Parti, vous m'avez utilisé tout en murmurant par derrière, à chaque fois que j'avais une commande du gouvernement ! J'ai fini de comprendre quand je suis allé en Russie, en 27 : beaucoup de réceptions, oui ! mais en six mois *ils* ne m'ont pas laissé peindre un centimètre carré !

« Vous vous êtes trompés sur le sens de la Révolution, dis-tu. Oh oui ! comme sur tout le reste ! Parce que vous avez toujours importé vos analyses pour les plaquer sur une réalité qui vous dépasse. La Révolution a été quelque chose de tellement vaste et extraordinaire que même nous, qui en avons été témoins, ne l'avons pas comprise tout de suite. Pour la com-

Madero lors de la Révolution mexicaine.
JUAN O'GORMAN, (1905-1982). DÉTAIL D'UN RETABLE.
Photo : Edimedia / Publiphoto.

faut enlever ses œillères et parcourir le pays comme je l'ai fait en rentrant de Paris, il y a quinze ans. Il faut voir les couleurs du désert et celles des robes des *tehuanas*, il faut savoir regarder le vert des piments à côté de l'or des épis de maïs; il faut respirer l'odeur lourde et sucrée de l'eau de canne qui bout dans le *trapiche*, et celle du désert de chez nous, à Guanajuato, après les premières averses de juin; il faut goûter la fraîcheur des goyaves et des figues de Barbarie, et les petits plats que préparent les femmes au marché. Et cette religion profonde du peu-

Diego Rivera a suscité de violentes polémiques aux États-Unis, en exprimant, dans de vastes fresques à Los Angeles, Détroit et New York, ses options politiques marxistes.

DIEGO RIVERA, FRESQUE RÉALISÉE POUR LE DETROIT INDUSTRY (MUR SUD), 1932-1933.
Photo : The Detroit Institute of Arts.

ple mexicain ! Pas celle des curés, contre lesquels s'est acharné ce franc-maçon borné de Calles ! La religion qui transpire dans les gestes de chaque instant, dans la manière de semer une milpa, de faire une jarre d'argile, de mettre au monde un enfant. Tout cela, le peuple le connaît, Angel le connaît, vous ne le voyez pas, vous ne le sentez pas, vous ne le goûtez pas, car vous êtes perdus dans vos paperasses et dans vos réunions, tandis que le Mexique éclate dans mes fresques, et dans les gravures de Posadas[15] !

« Nous avons changé notre manière d'agir, dites-vous. Plût au ciel que ce fût parce que vous avez enfin compris le Mexique. Mais non, ce sont les directives de Moscou qui ont changé ! Devant les catastrophes provoquées en Allemagne et en Italie par la vieille ligne sectaire, on essaie désormais la modération à tout prix ! Vous dénonciez Calles, et maintenant, vous flirtez avec Cárdenas : je sais que vous avez eu des rencontres. Fera-t-il partie aussi du Front uni antifasciste ? Après tout, il est au mieux avec la République espagnole et avec les Russes. Méfiez-vous ! *El General* a plus d'un tour dans son sac. Au moment où un coup d'État se prépare dans le Bajío, qui vous dit qu'il n'a pas intérêt à jouer la carte de gauche ? Ça pourrait bien être *son* Front uni ! »

Diego était maintenant en nage. Il enleva enfin sa veste. Le visage d'Alfredo s'était durci tout au long de l'exposé enflammé de son ancien camarade; il conclut du silence de Frida qu'elle approuvait les positions de son compagnon.

«Vous voulez dire que, malgré notre autocritique, vous refusez d'être des compagnons de route du Parti pour la grande lutte qui s'annonce?

— C'est exact. je n'ai pas besoin du Parti pour dénoncer les canailles qui nous gouvernent et appuyer ceux qui luttent. Et je *vous* dénoncerai aussi si vous vous associez au pouvoir.

— D'après ton opposition au Front, répliqua Alfredo, il est facile de voir que tu as trop fréquenté de juifs trotskystes aux États-Unis, quand tu peignais pour le New Workers' School!»

«Je crains de perdre ceux que j'aime, je ne veux pas que quiconque s'en aille, je veux être entourée. Si les gens vont et viennent, au moins j'ai mes chiens, mes perroquets, mes singes. Je veux que tous y soient et je veux qu'ils se tournent et me regardent, pour me regarder. J'existe dans le reflet de la lumière des autres.» Elena Poniatowska, «Memoir», in Frida Kahlo, The Camera Seduced, San Francisco: Chronicle Books, 1992. (Traduction libre).

Frida Kahlo, (1910-1954), Autoportrait, avec singe et perroquet. Huile sur toile. Photo: Sipa Press / Pono Presse Internationale.

Frida était tendue depuis le début. Cette fois, elle éclata: «On voit enfin l'oreille du loup! Oui, nous avons fréquenté des artistes et des intellectuels juifs aux États-Unis. Plusieurs étaient des gens formidables, et certains étaient trotskystes. Ils nous ont informés sur ce qui se passait *vraiment* en Union soviétique. Comment Staline - pour lequel Diego a une certaine admiration, moi pas! - comment Staline a dévoyé la Révolution d'octobre, comment il a écarté tous les révolutionnaires de la première heure et contraint Trotsky (pardon, le *juif* Borenstein), le successeur de Lénine, à fuir comme un paria. *¡Yo también soy judía!* (Moi aussi, je suis juive!). Par mon père, Wilhelm Kahlo, le photographe des petites gens, près du *zócalo*, tu te rappelles? Eh bien, si Trotsky est chassé de France, et s'il veut bien accepter l'hospitalité de mon pays, sois assuré, Alfredo, que je ferai tout ce que je peux pour qu'il puisse trouver ici la paix et l'aide dont il a besoin pour faire renaître le mouvement révolutionnaire, dans le monde et au Mexique.»

Elle se tourna vers la *profesora*: «Vous me dites, madame, que vous aimeriez bien voir mes toiles, qui "expriment la douleur et la condition de la femme". C'est vrai. Mais dans cette douleur, le Parti a eu sa large part: comme quand il interdisait à mes meilleures amies de m'écrire alors que je me morfondais aux États-Unis. Je vous préviens, madame: vous risquez d'avoir un choc devant mes toiles; on y voit des corps déchirés, des spermatozoïdes, et du sang. Oui, beaucoup de sang, et pas celui des "braves", seul autorisé par l'académisme bourgeois du Parti; celui de nos règles, et de nos fausses-couches!»

Diego Rivera à réalisé un cahier d'esquisses de 45 dessins, suite à une visite effectuée en Union soviétique en 1927 qui dura 9 mois. Il y rencontra plusieurs artistes et politiens.

DIEGO RIVERA, JOUR DE MAI À MOSCOU, 1928. Aquarelle et crayon. Photo: The Museum of Modern Art.

Elle se précipita vers la porte. Diego se leva lentement et la suivit. Angel regardait Alfredo et la *profesora*, incrédule: des Juifs au Mexique, des Juifs dans le Parti. Le seul *judío* qu'il connaissait, c'était un personnage de la Semana Santa de Cuauhtla, l'ennemi du Christ-Soleil, et les vieux expliquaient qu'il était comme *in Ahmo Cualli*, le diable. La *profesora* restait effondrée. *El Mapache* pensait à voix haute:

«*¡ No la hicimos, pues!* (C'est raté!) Mais si Trotsky devait mettre le pied au Mexique, les camarades soviétiques ne nous le pardonneraient jamais...»

Épilogue

Le Front uni anti-fasciste que proposaient les communistes ne se matérialisa jamais au Mexique. Effarouché par les procès de Moscou de 1936, Cárdenas prit ses distances du Parti, mais il reprit l'idée à son compte, en incorporant les Ligues agraires, les syndicats, les organisations populaires, au Parti de la Révolution Mexicaine «pour la défense de leurs conquêtes». Les paysans du Morelos obtinrent des parcelles, sur les riches terres sucrières, mais ce sera au prix de leur indépendance; en 1964, le dernier de leurs leaders agraires, Ruben Jaramillo, sera assassiné. Ironiquement, c'est Cárdenas, que Rivera n'aimait pas, qui le vengera de Rockefeller, qui avait fait détruire ses murales révolutionnaires de Radio City; *el General* nationalisera, sans indemnité, les puits de pétrole de la Standard Oil, propriété du milliardaire. Éternels anticonformistes, Diego et Frida connaîtront la célébrité internationale, et leurs amours poursuivront leur cours orageux, débouchant sur un divorce et un remariage. Quant à Trotsky, les pressions de Rivera, de Kahlo et de leurs amis l'aidèrent à obtenir l'asile politique au Mexique en 1938; il y sera assassiné en 1940 par un envoyé de Staline.

La Révolution dans la mémoire

À quelques variantes près, c'est ainsi que la mémoire populaire mexicaine se rappelle la Révolution. En 1910, Emiliano Zapata, un jeune paysan, de retour dans son village natal, Anenecuilco, dans le Morelos, apprit qu'il avait été nommé responsable des terres et qu'il devait récupérer celles qui avaient été confisquées par les grands planteurs de canne à sucre. La lutte, d'abord communautaire, embrasa bientôt tout le Morelos, Oaxaca et une partie du Veracruz. Aux *peones* de Zapata, paysans du Sud, se joignirent les *vaqueros* du Nord, sous les ordres de Pancho Villa. Leur rencontre à Mexico scella la fin de l'ancienne république; leur double assassinat (1919, 1923) signifia la récupération de la Révolution par une nouvelle classe au pouvoir.

Avec la Révolution, les paysans, hommes et femmes, feront irruption dans l'imaginaire national, comme en témoignent d'innombrable *corridos*, anecdotes et légendes: dans les murales polychromes, la figure du *caudillo* rebelle, autochtone ou métis, avec ses cartouchières en bandoulière, défiant joyeusement la mort, fera tomber dans l'oubli les législateurs en redingote et les généraux chamarrés de la statuaire *porfirista*. Cette première révolution populaire du XXe siècle propulsera aussi à

Au Mexique, Emiliano Zapata reste l'objet d'un véritable culte.

LA DESCENDANCE D'EMILIANO ZAPATA: DEUX DE SES ENFANTS, ANITA ET DIEGO (LE DEMI-FRÈRE D'ANITA) ET SA FAMILLE: CINQS ENFANTS, QUATORZES PETITS-ENFANTS ET QUATRE ARRIÈRE-PETITS-ENFANTS, EN 1994.

Photo: Gamma / Pono Presse Internationale.

l'étranger une nouvelle image du Mexique, celle de la nation révolutionnaire, à travers les reportages d'un John Reed (*Le Mexique insurgé*), des romans (*La puissance et la gloire*, de Graham Greene) et des films comme *Viva México*, d'Eisenstein, *Viva Zapata*, d'Elia Kazan, et même, *Il était une fois la Révolution*, de Sergio Leone !

La vraie Révolution fera approximativement un million de morts dans un pays de treize millions d'habitants. Elle bouleversa profondément toutes les couches de la société et déboucha, à terme, sur un système social et politique nouveau et, à ce jour, unique.

Emiliano Zapata, 1910.
Photo : Archives SNARK / Archivo Casasola, México.

5 Voyages dans le labyrinthe

[...] NOUS AVONS ÉTÉ EXPULSÉS DU CENTRE DU MONDE ET NOUS SOMMES CONDAMNÉS À LE CHERCHER DANS LES FORÊTS ET LES DÉSERTS, OU DANS LE DÉDALE SOUTERRAIN DU LABYRINTHE.

Octavio Paz, *Le labyrinthe de la solitude*

PAUVRE MEXIQUE ! SI LOIN DE DIEU ET SI PRÈS DES ÉTATS-UNIS !

Dicton mexicain, attribué à Porfirio Díaz

LE PIRE A DÉJÀ EU LIEU (ET LE PIRE, C'EST CETTE POPULATION MONSTRUEUSE DONT RIEN N'ARRÊTE LA CROISSANCE) ET POURTANT, LA VILLE CONTINUE DE FONCTIONNER.

Carlos Monsiváis, *Los rituales del caos*

Montréal, mars 1995. Dans le bureau de l'ethnologue, le téléphone sonne. « Pierre, c'est Anselmo, ton filleul ! Comme je te l'ai dit l'été dernier, j'ai décidé de partir pour le Nord. À Tijuana, j'ai trouvé un *coyote* qui m'a fait passer, pour cent dollars. Pour le moment, ça va : je ramasse des fraises. C'est dur, mais la paye est bonne. Si j'ai des ennuis avec la *Migra*, je peux t'appeler ? Salue bien ma marraine ! »

LUCHADORES DE JUGUETE. (LUTTEURS.)
Plastique. 18 x 8 cm. c/u. Museo Nacional de Culturas Populares.
Photo : Luis Pérez Falconi et Óscar Necochea.

Selon José Vasconcelos, la nation, la mexicanité, résulte de la fusion raciale et culturelle des Espagnols et des Amérindiens. Les premiers auraient apporté et imposé la langue, la religion, les valeurs méditerranéennes comme l'honneur et le machismo; on peut leur attribuer les traits excessifs du caractère national, le goût de la fête, une vision tragique du monde.

CARNAVAL DE HUEJOTZINGO. FÊTE OÙ L'ON RETROUVE DES COSTUMES À CARACTÈRE COLONIAL.
Photo: Frances. S. / Explorer / Publiphoto.

Après avoir raccroché, l'ethnologue plonge dans ses souvenirs. Il voit affluer des images, pourtant pas si anciennes, où des gamins comme Anselmo, chaussés de sandales et vêtus à l'indienne, couraient devant lui sur les sentiers de montagne en lui indiquant les noms nahuas des plantes, des oiseaux, des insectes. Puis, l'électricité a rejoint les villages aux creux des montagnes. Avec elle sont arrivés le moulin à maïs, qui allège la corvée quotidienne des femmes, et aussi la télé. Au fil des téléromans de l'après-midi, les autochtones découvrent à la fois le luxe des maisons bourgeoises, les complexités de l'amour romantique, version mélodrame hispanique, et la gamme inépuisable des produits vantés par la publicité. Pour les gamins, l'émission la plus attendue est la *lucha libre* («lutte libre») où s'affrontent, dans l'éternel duel du Bien et du Mal, les *técnicos* (les «techniciens») et les *rudos* (les «brutes»), avec leur attirail de masques et de capes. En quelques années, cette nouvelle mythologie a remplacé, chez les jeunes, les récits fabuleux des aînés, qui narraient la victoire du Fils-du-Maïs sur les

Ogres et les ruses de l'Opossum, récits qui avait résisté à cinq siècles d'évangélisation. Les médias électroniques seraient-ils en train de réaliser, en douceur, le vieux rêve libéral, puis révolutionnaire, de l'homogénéisation du pays ?

Peut-être pas, car les médias diffusent en même temps un autre modèle culturel, celui des États-Unis. Certes, l'influence américaine est déjà ancienne dans le pays et, dès 1959, dans les beaux jours du « miracle mexicain », l'écrivain Octavio Paz en faisait une source importante de ce mal de vivre mexicain, qu'il appelait le « labyrinthe de la solitude ». Les sentiments d'amour-haine face au grand voisin du Nord, dont le succès économique et l'arrogance politique ont marqué toute l'histoire moderne du Mexique, peuvent s'exprimer au quotidien par l'autodénigrement et par une subordination qui n'est jamais qu'à demi consentante (le *malinchismo*) ; mais tôt ou tard le ressentiment éclate, dans l'explosion de nationalisme *anti-yanqui*.

ARTURO RIVERA. EL OLVIDADO A. P. (L'OUBLIÉ A. P.) Huile sur bois. 73 x 99 cm. 1993.
Photo : Collection privée.

S'y ajoute la difficulté d'assumer un passé complexe. Les idéologues post-révolutionnaires, comme José Vasconcelos, ont défini la nation mexicaine par le métissage racial et culturel des Espagnols et des Amérindiens, fondant la « race cosmique ». Dans cette perspective, les premiers auraient apporté la langue, la religion, les valeurs méditerranéennes comme l'honneur et le *machismo* ; les seconds, un rapport à la terre et à la vie, ainsi qu'une réserve qui éclate

Pour Octavio Paz, la manière violente dont s'est faite la Conquête et le stigmate qui frappe en permanence la composante amérindienne de la culture mexicaine ont fait qu'elle n'a jamais été assumée, au-delà des images d'Épinal de Malinche la traîtresse, et de Cuauhtemoc, le Héros-Martyr.

DANSEUR AZTÈQUE.
Photo : Schuster / Publiphoto.

occasionnellement dans la fête, ou dans la violence. Mais la manière violente dont la « fusion » s'est faite, et le stigmate qui frappe en permanence la composante amérindienne, ont fait qu'elle n'a jamais été reconnue, au-delà des images d'Épinal de Malinche la Traîtresse, et de Cuauhtemoc, le Héros-Martyr. Pour des auteurs plus récents, comme Bonfil Batalla, il n'y a pas eu fusion, mais superposition de cultures. L'hispanité n'est que le masque du « Mexique imaginaire » tandis que ce sont encore des valeurs et modes de comportements amérindiens que véhicule le « Mexique profond » : depuis la manière d'élever les enfants jusqu'à l'économie du don, et du prestige[16].

Mais la diffusion massive par les médias d'une vision idéalisée du mode de vie occidental (la dimension culturelle du Nouvel Ordre Mondial) a provoqué une explosion des aspirations, hors de proportion avec les possibilités d'un système économique et social en crise prolongée. La rébellion symbolique silencieuse des *pachucos*, dont parlait Paz, a émigré de la frontière au cœur même du pays : il n'est pas de ville mexicaine où les *chavos banda* (groupes d'adolescents) ne se soient approprié les oripeaux *punks*, en remplaçant (signe des temps) le silence des *pachucos* par le tonnerre des décibels *heavy metal*. La marée bigarrée a même atteint ce haut lieu de la mexicanité : le parvis de la Vierge de la Guadalupe[17]. Les rythmes différentiels de cette modernisation ont donné lieu à de nouvelles fractures, géographiques et sociales.

ANONYME. VANIDAD DE VANIDADES. (Vanité des vanités.) Huile sur toile. 102 x 165 cm. XIXe siècle. Coll. : Chávez Morado. Museo del Pueblo de Guanuajuato.
Photo : Luis Pérez Falconi et Óscar Necochea.

Il y a dans la ville de Mexico une place qui s'appelle Tlatelolco du nom d'une ancienne ville aztèque; on peut encore contempler sur place les structures pyramidales de son centre cérémoniel. Le lieu porte aussi le nom de place des Trois cultures. Elle est aménagée sur l'emplacement du temple préhispanique et bordée par l'église de Santiago, de style baroque colonial, et d'un vaste bâtiment aux lignes modernes. Cette place confirme ce qu'on ressent si spontanément en visitant le Mexique: c'est là une société aux racines anciennes, avec un riche passé tant amérindien que colonial, tout en étant moderne.

PLACE DES TROIS CULTURES.
Photo: Paul G. Adam / Publiphoto.

L'une des plus manifestes oppose le Nord, *La Frontera*, capitaliste et moderne, antichambre de la Terre promise, et le reste du pays, qui vit encore largement au rythme du modèle social issu de la Révolution. Depuis l'implantation des premières *maquiladoras* dans les années 1960, le centre de gravité du pays, au plan matériel et surtout symbolique, tend à se déplacer du District fédéral vers *La Frontera*. C'est ce changement qui a rendu possible l'ALÉNA plutôt que d'en être la conséquence. Il s'exprime dans une rupture politique: le Parti révolutionnaire institutionnel, clé de voûte du système depuis plus d'un demi-siècle, se désagrège, au profit d'un parti de centre-droite au Nord (le Parti d'action nationale) et d'un parti de centre-gauche (le Parti de la révolution démocratique), ainsi que de mouvements d'extrême-gauche tels l'Armée zapatiste de libération nationale et l'Armée populaire révolutionnaire, au Centre et au Sud.

L'inégalité sociale mexicaine se manifeste dans des peuplements spontanés côtoyant de vieilles traditions urbaines.

La vie dans un bidonville à Mexico.
Photo : G. Boutin / Explorer.

Ce n'est pas la seule ni la plus importante lézarde dans la « pyramide » (Octavio Paz), dans la « dictature parfaite » (Mario Vargas Llosa). Vingt-six ans avant le soulèvement zapatiste, en 1968, est apparue la première brèche. Elle fut symbolique et politique : les protestations étudiantes de 1968 se terminèrent par le massacre d'octobre, sur la Place des Trois Cultures, à Tlatelolco, quartier de Mexico. Les « enfants chéris » du régime, ces jeunes à qui l'accès à l'éducation supérieure ouvrait les portes de la nouvelle classe moyenne, protestaient contre les injustices criantes sur lesquelles s'était construit le « miracle mexicain ». Entre une partie de l'intelligentsia du pays et le régime avec lequel elle avait jusqu'alors collaboré sans trop de mal, un fossé commença alors à se creuser, qu'on a en vain tenté de colmater depuis.

Selon la tradition, c'est à la requête de la Vierge que fut construite une chapelle (ensuite une basilique) sur le site où les Aztèques avaient vénéré leur déesse Tonantzin.

Pèlerinage à la Vierge de Guadalupe, vers 1990.
Photo : Paul G. Adam / Publiphoto.

Dès l'année suivante, à l'autre extrémité du spectre social, on constate que les paysans, qui fournissaient aux villes les aliments de base depuis la Réforme agraire, n'y arrivent plus, sur les terres usées des *ejidos* surpeuplés. L'inflation oblige à accroître les salaires, ce qu'une industrie désuète a du mal à absorber. Un cycle infernal de crise agricole, contraction industrielle, chômage et émigration croissants s'amorce et se poursuit depuis, coupé par une brève pause d'opulence pétrolière (1976-1982)... qui se termina par une crise financière et une récession sans précédent. Dans ce nouveau contexte de problèmes structurels profonds, l'interventionnisme d'État des années 1970 donna aussi peu de résultats que le désengagement de l'État des années 1980 et 1990. Apparurent au grand jour le népotisme, la corruption endémique, l'inefficacité, qui caractérisaient depuis longtemps non seulement l'appareil d'État (bureaucratie, police), le Parti officiel, les services publics (santé, éducation), mais aussi les corps intermédiaires assujettis à l'État depuis un demi-siècle (syndicats, associations paysannes). À cela s'ajoute une criminalité en hausse rapide, phénomène lié à la paupérisation croissante et à l'impact du trafic de stupéfiants dans les diverses sphères de la finance, de la politique et de l'armée. L'image qui s'impose n'est plus celle du «labyrinthe» (O. Paz) ni celle de la «cage de la mélancolie» (R. Bartra), mais bien d'un «chaos traversé par certains rituels», d'une société «post-apocalyptique» (C. Monsivais).

RAÚL JOSÉ PÉREZ. TAROT CHILANGO. LA JUSTICIA. (La justice.) 1995-1996. Museo Carrillo Gil.

Photo : Luis Pérez Falconi et Óscar Necochea.

La société mexicaine est certes devenue une société ouverte, mais elle n'est pas encore démocratisée. Les débats, jadis pratiquement confinés à quelques cercles d'intellectuels dissidents, se sont élargis à la presse, libérée depuis quinze ans de la pesante tutelle de l'État, aux universités, à un Congrès pluripartite et surtout à une portion croissante de la société elle-même qui, indépendamment de l'État et de la logique des partis, tente de se constituer en une *société civile*, capable de critiquer, d'analyser et de proposer.

Dialogue :

Willy Uribe, Ortulio Paredes, Claudio Mondragón

Monterrey, fin août 1994. Le soleil s'est couché depuis une heure, mais le béton régurgite encore la chaleur emmagasinée pendant la journée. Située à très basse altitude, en zone aride, la «capitale industrielle du Nord» ne jouit pas des crépuscules tempérés des agglomérations du Mexique central, ni de la fraîcheur de leurs averses d'été. Les *regiomontanos* entrent dans la nuit sur le même rythme trépidant qui caractérise leurs journées; les voitures américaines neuves courent avec une imprudence folle, à grand renfort de klaxon, et on fustige au besoin ces traînards de touristes et de *chilangos*.

El Colegio Superior occupe plusieurs étages dans une rue bruyante du centre-ville. Dans la vaste salle, le murmure des conversations couvre à peine le ronronnement des climatiseurs. Willy Uribe, M. B. A., est l'organisateur de la *Mesa Redonda*, cycle de conférences-débats consacrés aux grands problèmes contemporains. Cette fois, plus de cent participants sont venus échanger avec les deux panellistes de la capitale. Willy était inquiet, car le thème (*La cultura en México a la hora del TLC* - La culture au Mexique à l'heure de l'ALÉNA) lui semblait tout à coup bien abstrait, quelques jours après une élection présidentielle qui s'était déroulée dans le climat d'incertitude créé par le soulèvement zapatiste de janvier et, surtout, par l'assassinat du candidat du PRI, Colosio, en juin. La réputation de l'invité-étoile y était sans doute pour beaucoup: Ortulio Paredes[18], poète et essayiste, jouit

«La modernisation de l'éducation et de l'économie qu'on doit aux gouvernements post-révolutionnaires, l'effort immense de rattrapage initié avec succès en 1988 par le gouvernement sortant, celui de Salinas de Gortari...» Discours (controversé) de «don Ortulio». Sa présidence terminée, Salinas de Gortari est devenu tellement impopulaire qu'il a dû s'exiler.

Carlos Salinas de Gortari, lorsqu'il a pris ses fonctions en décembre 1988.

Photo: Gamma / Pono Presse Internationale

Le marché était déjà une composante essentielle de toute ville préhispanique.

MARCHÉ EN PLEIN AIR TYPIQUE.
Photo : Paul G. Adam / Publiphoto.

d'une solide réputation nationale et internationale ; l'organisateur se félicite qu'il ait accepté de venir car ses sympathies politiques ne coïncident pas avec celles de l'autre invité : Claudio Mondragón est journaliste au quotidien de gauche *La Jornada*, assez peu lu dans cette région qui lui préfère *El Norte*.

Il revient à « don Ortulio » de lancer le débat. « Ce qui me frappe, dit-il d'entrée de jeu, c'est que la question des rapports de l'économie à la culture a été et demeure généralement très mal posée. Certaine pensée mécaniste – il jette un bref coup d'œil à Mondragón – nous présentait naguère la culture comme une simple émanation des forces économiques. Comme si le culte à la Vierge de la Guadeloupe n'était que le reflet du mode de rémunération des paysans indiens ! Cette forme de pensée est désormais morte, en même temps que s'effondraient, en Europe, les régimes politiques fondés sur elle. Aujourd'hui, ces mêmes gens, et les courants politiques qu'ils animent, rangés sous la bannière d'un nationalisme *guadalupano*, voudraient nous faire croire que la culture mexicaine, notre être propre, constitue

une fleur délicate et fragile, qu'il faut garder sous un globe de verre, sans quoi elle s'effondrera sous le flot de culture yankee qui déferlera sur notre pays par suite de l'Accord de libre échange.

«Ce qu'il faut constater, au contraire, comme je l'écrivais il y a plus de quinze ans, c'est que toute l'histoire du Mexique, depuis l'indépendance, est l'histoire de diverses tentatives de modernisation, histoire encore inachevée, il faut le reconnaître. J'inclus ici la modernisation juridique et structurelle entreprise par Juárez et les libéraux (sur la base des réformes des Bourbons), et poursuivie sous Díaz ; la modernisation de l'éducation et de l'économie qu'on doit aux gouvernements post-révolutionnaires, et l'effort immense de rattrapage initié avec succès en 1988 par le gouvernement sortant, celui de Salinas de Gortari. (Un murmure parcourut l'assistance, mais le conférencier passa outre.) Ce qu'il faut constater, c'est que ces changements, dont nous avons raison d'être fiers, furent réalisés par des secteurs éclairés de l'élite mexicaine en puisant à l'extérieur, dans l'Europe des Lumières et aux États-Unis, les idées les plus avancées. Regardons notre Constitution et notre système juridique ! Les civilisations précolombiennes, reconnaissons-le, n'y ont rien apporté *et n'avaient rien à y apporter*. Quant à l'Espagne, peu de temps après la Conquête, elle s'écarta de ce courant européen modernisateur (si l'on excepte la seconde moitié du XVIIIe siècle). Il a donc fallu, et il faut encore, que nos élites aillent

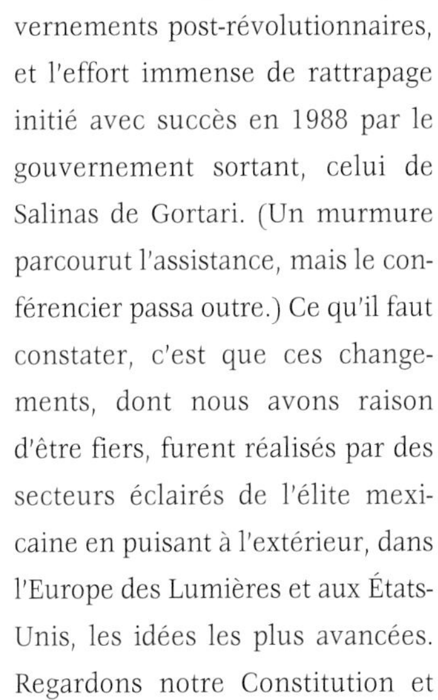

chercher ailleurs que dans notre «mexicanité» les éléments requis pour arracher à l'ignorance et à la misère les masses mexicaines. Il reste beaucoup à faire, me direz-vous? Je le sais autant que vous. J'y reviens tout de suite. Mais je voulais d'abord balayer ce lieu commun de notre imaginaire, enraciné dans notre incapacité à nous assumer comme peuple et nourri par des décennies de populisme patriotard, à l'effet que l'étranger représente le danger.

Mon deuxième point concerne un autre lieu commun, la démocratie. Je préciserai d'abord que ce thème, aujourd'hui sur toutes les lèvres, est relativement neuf chez nous. Au début des années 1960, la publication du livre de González Casanova, *La démocratie au Mexique*, obtint un succès d'estime, certes, mais n'influença guère nos débats. Les références à la démocratie (et surtout, à son absence) faisaient partie de la rhétorique politique. Dans les faits, c'est la croissance économique qui fondait la légitimité des gouvernements post-révolutionnaires, autoritaires et corporatistes, tandis que l'opposition comptait, pour atteindre l'Âge d'or, sur un modèle de dictature bureaucratico-militaire, qu'une colossale erreur historique a fait appeler «socialisme». Ces mêmes personnes, et ceux qu'ils ont ralliés à leur mouvance, affirment aujourd'hui que le problème central, immédiat du pays, est la démocratie; que sans elle, nous ne pourrons régler aucun de nos problèmes. Soyons francs, rien n'est plus faux. Regardons les précédents historiques. En Europe et ailleurs, la démocratie a été le *résultat* de la modernité, et non sa cause. Notre grande tâche immédiate est l'approfondissement de

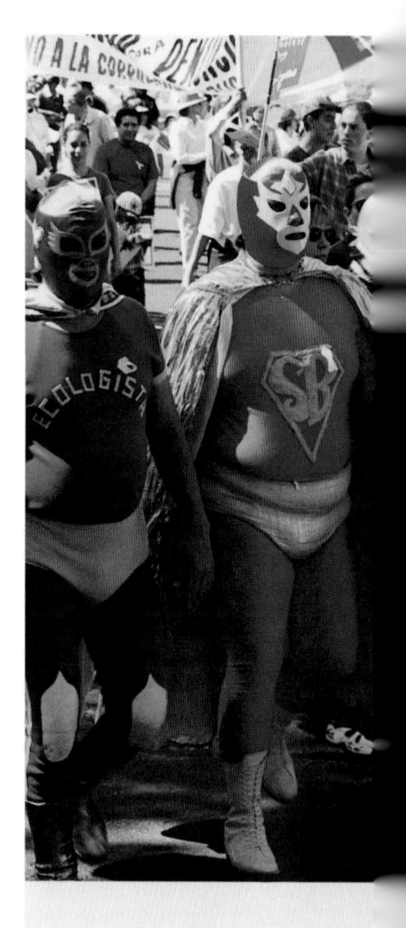

Quand les insurgés des montagnes du Chiapas se sont présentés comme des autochtones, réclamant le droit de participer pleinement à la construction du Mexique nouveau, ils ont éveillé plus que de la sympathie.

SOLDATS ET ENFANTS ZAPATISTES DANS LES MONTAGNES DU CHIAPAS, 1997.
Photo: Gamma/Pono Presse Internationale.

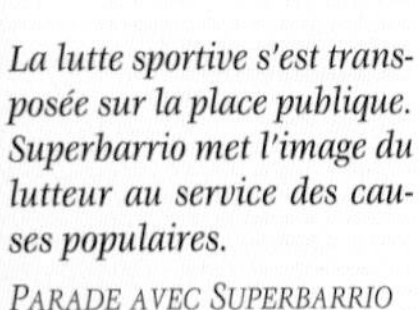

La lutte sportive s'est transposée sur la place publique. Superbarrio met l'image du lutteur au service des causes populaires.

PARADE AVEC SUPERBARRIO À MEXICO.
Photo : Francois Tremblay, 1997.

notre modernisation, à tous les niveaux, de pair avec la mise au point progressive de mécanismes véritablement démocratiques.

Et l'ALÉNA, dans tout ça ? Sans lui attribuer un rôle central, je dis que cette initiative va carrément dans la bonne direction, parce que ça contribue à briser ce que le groupe *Contemporáneos* (injustement oublié) appela naguère le « rideau de cactus » (*la cortina de nopales*). Cette tendance que nous avons au repli sur soi, au nombrilisme, à une exaltation démesurée de *lo mexicano*, qui n'est que le reflet de notre complexe d'infériorité. Dans les montagnes du Chiapas, menés pas des intellectuels et, peut-être, par une fraction peu avisée du clergé, quelques milliers d'Indiens viennent de se soulever ; encore et toujours, ils se réclament de Zapata et exigent « un retour aux vrais principes de la Révolution mexicaine ». Étudions un peu l'histoire. Zapata et ses hommes voulaient retourner au *calpulli*, à la

communauté agraire pré-cortésienne. Devant l'impossibilité de ce retour, Carranza et ceux qui l'ont suivi n'ont pas eu d'autre choix que de poursuivre la modernisation entreprise par les libéraux, en y associant les exclus du *porfirismo*. Et on inscrit sur les murs de San Cristobal *¡Fuera el imperialismo!* («Dehors l'impérialisme!») *¡Abajo el TLC!* («À bas l'ALÉNA!») Disons-le clairement: Les États-Unis ne sont pas la cause de nos problèmes... mais ils ont toujours su les exploiter magnifiquement! Puisque la géographie et l'histoire ont irrémédiablement lié nos deux pays, sachons profiter au maximum de leur dynamisme, au plan technologique, économique, culturel. (Nouveaux murmures dans l'assistance). Oui, j'ai bien dit «culturel». *Dallas* est pitoyable, bien sûr, mais nos séries télévisées, qui ne sont le plus souvent que des mélodrames insipides ou morbides, sont-elles meilleures? Et puis, il n'y a pas que *Dallas,* il y a aussi le musée Guggenheim, et une culture scientifique extraordinaire...»

Le vieil écrivain avait dépassé les «quelques minutes» qu'on lui avait octroyées pour lancer le débat, mais le modérateur n'était pas intervenu: on n'interrompt pas don Ortulio! Il donna la parole à Claudio Mondragón qui comprit qu'il devrait, lui, être bref.

«Je veux d'abord revenir sur le concept même de "culture mexicaine", que don Ortulio a présentée à la manière d'un choix à faire entre deux options opposées. *Ou bien* nous nous enfermons derrière le «rideau de cactus» et nous demeurons dans le Labyrinthe aux prises avec nos démons, *malinchismo, machismo,* etc. *Ou bien* nous pour-

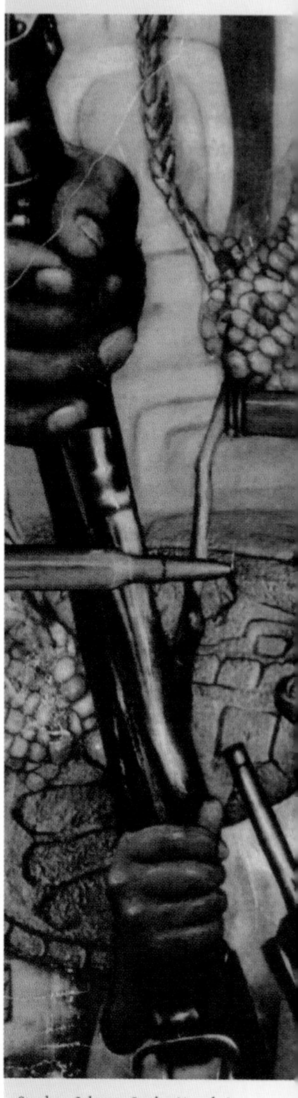

Stephen Johnson Leyba (Apache), *Chiapas, México*, acrylique sur papier, 1994. *Ciencias, n° 43-1996.* Photo: Art-Science Studio Lab, Ithaca, N.Y.

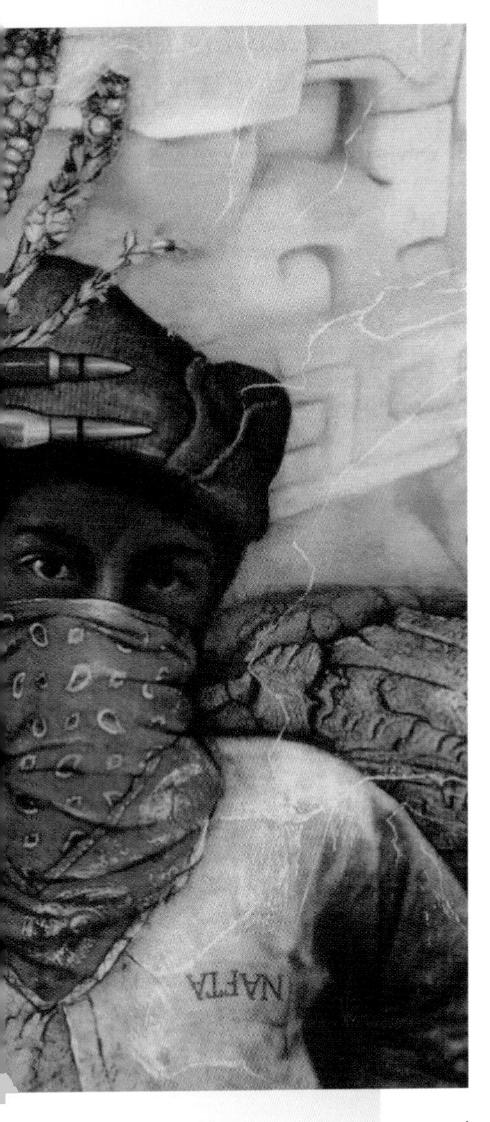

suivons notre véritable destin historique d'Occidentaux et nous ouvrons aux idées les plus avancées de notre époque, idées qui, reconnaissons-le, sont *aussi* présentes aux États-Unis. Cette conception dichotomique ne correspond pas, je pense, à la réalité actuelle, ni du Nord du pays, où nous sommes, ni du Sud, que vous aimez parfois vous représenter, vous de la « capitale industrielle du pays » comme un ramassis d'Indiens arriérés et de Métis politicailleurs (sourires dans l'assistance).

« Je m'intéresse depuis plusieurs années à la culture mexicaine contemporaine, particulièrement à ses formes populaires nouvelles, ce qui m'a amené à fréquenter davantage les marchés en plein air, les stades de *futbol* et les discothèques que les bibliothèques. (Sourires dans la salle ; don Ortulio Paredes demeure impassible.)

« Ce que j'ai trouvé m'a beaucoup surpris. Je pourrais le résumer en une phrase, quitte à être taxé de populiste : ce que nous sommes vaut beaucoup mieux que ce que nous croyons être. Quand j'étais à l'Université, je me suis tapé un tas de bouquins qui, reprenant soigneusement ce qui avait été dit dans d'autres bouquins, analysaient les fondements de notre mal de vivre, de notre incapacité à atteindre quelque objectif que ce soit. Dans son livre *La cage de la mélancolie*, mon ami Roger Bartra nous compare même aux *axolotl* qui, plutôt que de grandir et de sortir au soleil, préfèrent passer leur vie de larves dans les eaux sales de Xochimilco. Le pire, c'est qu'on se reconnaît un peu dans tout ça. Alors, avant de m'effondrer complètement, je suis sorti de la bibliothèque et j'ai regardé autour de moi. J'ai vu la crasse et la misère sordide qu'on retrouve autant dans les *colonias du D.F.* que dans les faubourgs de la "capitale industrielle du Nord"... pardon, "du pays". J'ai vu aussi, ce qui est encore plus triste, nos politiciens véreux être réélus par ceux-là mêmes qu'ils avaient dépouillés pour s'enrichir.

«Et puis, le tremblement de terre est survenu, en septembre 1985. Et j'ai vu les "héros courbés" de Tepito relever la tête. Et des milliers de familles campèrent dans les rues, sous des bâches et des plastiques, refusant de céder le centre-ville, où ils avaient leurs logements et leurs échoppes, aux constructeurs de gratte-ciel et de "cités-jardins" pour être "relogés" à trois heures de là, au milieu du désert salé de Ciudad Netzahualcoyotl. Le gouvernement, pendant ce temps, vérifiait si les installations du *Mundial* n'avaient pas trop souffert... Et c'est alors que l'impossible s'est produit, et que le PRI, qui semblait aussi incrusté dans *lo mexicano* que les *mariachis*, a perdu, pour la première fois, les présidentielles. (Ortulio Paredes nie de la tête.)

«La culture mexicaine, c'est ça aussi, et pour le comprendre, il faut aller au-delà de "la mexicanité" pour rejoindre *les Mexicains*. On observe, derrière le bariolage de tous nos emprunts, une capacité de résister, profonde, sourde, au-delà des limites de ce qui peut sembler possible, aux formes les plus brutales comme les plus subtiles de la

L'ACCORD DE LIBRE-ÉCHANGE ENTRE LES ÉTATS-UNIS, LE CANADA ET LE MEXIQUE, RATIFIÉ EN NOVEMBRE 1993, OUVRE UNE VASTE ZONE COMMERCIALE SUR LE CONTINENT NORD-AMÉRICAIN.
Photo: Gamma / Pono Presse Internationale, 1994.

domination : celles qui prétendent te vider de ton âme pour te la remplacer par une autre, plus adaptée, ou plus *ajustée*, pour emprunter le langage de la Banque mondiale. Car l'imaginaire est aussi un champ de bataille, et aucune domination ne saurait être durable sans le contrôle de ce que Bartra a appelé les « réseaux imaginaires du pouvoir ». Contrairement à lui, cependant, je ne crois pas que les groupes dominants aient pu coloniser complèment l'imaginaire mexicain, même pas avec cette merveilleuse invention de « la mexicanité », à laquelle les intellectuels ont collaboré de si bon cœur (il jette un coup d'oeil à don Ortulio). Cette incapacité des groupes dominants provient sans doute du fait qu'ils ne se contentent pas de s'inspirer de l'extérieur (ce qui est fort louable), mais qu'ils en importent les idées toutes faites : de Londres et de Paris, hier, de Harvard aujourd'hui. Mais le peuple mexicain a compris depuis des siècles que pour être efficace, la résistance ne peut être uniquement fermeture, repli derrière quelque rideau que ce soit. Dans le domaine de la culture comme dans celui de la politique, les Mexicains empruntent, essaient, évaluent et finalement acceptent, s'approprient, transforment ou rejettent. Il n'en a jamais été autrement. On sait que les saints patrons imposés aux Indiens sont devenus des symboles de leur identité. De même qu'aujourd'hui on peut retrouver des costumes de Spiderman et du Lutteur Masqué dans les processions autochtones.

Traverse de la frontière du Mexique vers les États-Unis.
Photo : Pono Presse Internationale, 1994.

« Si même les Indiens sont si ouverts au progrès, à quoi donc s'opposent les Zapatistes, me direz-vous ? J'ai eu l'occasion de les observer de près. Je suis d'accord avec don Ortulio concernant la dimension utopique, millénariste même, qui les anime, comme tout autre mouvement révolutionnaire. Mais si on les écoute et qu'on examine leurs revendications, qu'est-ce qu'on voit : qu'ils veulent des écoles, des routes, du crédit agricole, des services de santé, etc. Ce qu'ils réclament essentiellement, c'est la *modernité* dont on nous parlait, tout à l'heure, une modernité dont ils se sentent injustement exclus. C'est le drame d'aujourd'hui et de toujours. Comme disait un de mes amis, économiste : "Le programme de développement du gouvernement, il est bien joli. Seulement il y a quarante millions de Mexicains de trop !" Ça représente à peu près la même proportion de la population, je vous signale, que les cinq millions de paysans sans terre exclus du progrès sous Porfirio Díaz, et qui ont un jour décidé de faire la Révolution.

«Mais pourquoi s'opposent-ils spécifiquement à l'ALÉNA? Parce que, depuis six ans, comme la plupart d'entre nous, ils en ont pris des coups sur la gueule: plus de prix garanti pour leur maïs, plus personne qui achète leur café, plus d'infirmière pour la clinique et, parfois, plus d'instituteur pour l'école. Et toutes ces compressions, justifiées par un objectif suprême: l'intégration à l'ALÉNA. Alors ils disent: Merde à l'ALÉNA!

RAÚL JOSÉ PÉREZ. TAROT CHILANGO. *EL CARRO.* (L'automobile.) 1995-1996. Museo Carrillo Gil.
Photo : Luis Pérez Falconi et Óscar Necochea.

«Pour conclure (car le modérateur lui avait fait un signe discret), je considère que l'ALÉNA, pour la culture mexicaine, n'est ni le diable, ni *la Virgencita de Guadalupe*. Notre pays, par ses jeunes surtout, se trouve déjà immergé dans une culture mondiale où les États-Unis occupent une place hégémonique; on ne peut même plus penser à un «rideau de cactus». En même temps, nos *rockeros* sont déjà en train de lui donner une allure très mexicaine, tout comme les murales de Rivera avaient très peu à voir avec le réalisme socialiste. Ce n'est pas le contenu qui me préoccupe, mais notre rapport, comme société, avec cette culture. Garderons-nous encore la possibilité d'intervenir, comme collectivité *sur* notre culture, ou deviendra-t-elle, comme les gènes de nos multiples variétés de maïs, une «ressource» exotique stockée dans des entrepôts d'outre-frontière, pour une éventuelle réutilisation en cas de crise?»

«Je vous remercie, enchaîna Willy Uribe. Ces présentations contrastées, tout à fait dans la tradition de notre Mesa Redonda, ne manqueront pas de susciter un intéressant débat. Je vois déjà plusieurs mains qui se lèvent...»

Partir ailleurs

Les grands mouvements migratoires qui traversent le Mexique vers les villes en développement et la frontière nord sont le résultat d'une répartition inégale de la richesse, qui pousse les plus défavorisés à chercher ailleurs des conditions de vie moins difficiles. Jeunes adultes, garçons et filles, mais aussi femmes célibataires et sans qualification sont nombreux à quitter leurs villes et leurs villages pour s'installer dans les centres urbains et y travailler comme domestiques.

La frontière avec les États-Unis, longue de 2600 km, est difficile à garder étanche. Les jeunes et les moins jeunes sont attirés vers le *Gringolandia* (la terre des *gringos*) par les perspectives d'emploi et de meilleurs salaires. Cette colonisation de l'imaginaire populaire fait des États-Unis la *Mecca, The Heaven's Gate*.

Ces immigrants récemment passés à El Paso, comme des milliers d'autres, doivent se construire une maison de fortune.
Photo: Edward Carreon / Pono Presse Internationale, 1993.

Ces deux jeunes femmes assemblent plus de 1900 diffuseurs d'extincteur automatique par jour dans une industrie de La Mesa Industrial Park à Tijuana.
Photo : Edward Carreron / Pono Presse Internationale, 1993.

La frontière est un des éléments majeurs de l'espace, de la culture et de l'imaginaire mexicain. Il n'y a aucune richesse naturelle à exploiter dans cet espace ; c'est sa position stratégique qui attire, à l'orée de la richesse et du travail, au bord du rêve et du bonheur que la télévision et le cinéma diffusent inlassablement.

Les villes frontalières mexicaines ont grossi en écho aux villes situées de l'autre côté de la frontière : Brownsville-Matamoros, MacAllen-Reynosa, Laredo-Nuevo Laredo, Eagle Pass-Piedras Negras, El Paso-Ciudad Juárez, Nogales-Nogales, Yuma-San Luis, San Diego-Tijuana. C'est là que se sont intallées la plupart des *maquiladoras* (usines d'assemblage qui fonctionnent en sous-traitance), qui exportent vers les États-Unis, le Canada et le reste du monde. Dans ces villes résident aussi les « commuters », travailleurs munis d'un permis, qui traversent chaque jour la frontière pour aller gagner quelques dollars ou pour aller les dépenser. Par ailleurs, l'attrait de tout ce qui est *gringo* et le désir mimétique de consommation favorisent la contrebande milliardaire de toutes sortes de produits, qui sont écoulés dans les *tianguis* (marchés) et dans les rues de la capitale.

Ceux qui réussissent à traverser légalement ou illégalement la frontière et à se trouver un emploi s'installent dans les quartiers chicanos, conservent leur langue et leur culture. Il est difficile de savoir combien de Mexicains vivent aux États-Unis. Officiellement, on parle de neuf millions de personnes, mais il est impossible de recenser une population aussi mobile. Ce flux humain a fait de Los Angeles la quatrième ville en importance où la population mexicaine est la plus grande après Mexico, Guadalajara et Monterrey au Mexique.

Le tremblement de terre de Mexico[1]

Le 19 septembre 1985 à 7 h 19 du matin, le Mexique connut une des pires catastrophes de son histoire contemporaine : un tremblement de terre de 8,1 à l'échelle de Richter, qui provoqua la mort de plusieurs milliers de personnes et la destruction de centaines d'édifices publics et privés. Une lourde poussière se leva sur la ville, les trottoirs furent défaits, le pavé des rues fracturé, une grande partie de la ville fut privée de services. Les gens fuyaient leurs demeures et partaient à la recherche de leurs enfants, frères ou parents disparus. Les médias annonçaient les noms des quartiers dévastés, comme s'il s'agissait de nouveaux cimetières : les *colonias* Roma, Guerrero, Morelos, le *Centro Médico*, le *multifamiliar* Juárez, etc. On sut que des degâts considérables paralysaient les villes de Zihuatanejo, Lázaro Cárdenas et surtout Ciudad Guzmán.

La radio et la télévision incitent les gens à rentrer chez eux, à ne pas se laisser gagner par la panique, à rester calmes. Spontanément, à la surprise des autorités, les citoyens s'organisent : les voisins délimitent les sites dangereux, les mères de familles préparent la nourriture pour ceux qui fouillent dans les décombres dans l'espoir de sauver quelques vies. Les jeunes, ouvriers, universitaires, chômeurs, adolescents, *chavos banda*, passent à l'action. Ils prennent le contrôle de la ville, dirigent la circulation, contrôlent l'ordre public. Ils organisent la recherche de nourriture et de médicaments, construisent des abris pour les sinistrés et s'occupent des blessés. Ils n'écoutent plus les directives officielles : ils font un choix moral et l'assument, un choix qui passe par la désobéissance civile. Ils ne se considèrent pas comme des héros. Ils prennent conscience de leur peur mais aussi de leur force.

Une certitude collective naît des décombres : il n'y a plus de place pour la vantardise, la corruption, le gaspillage des ressources et l'indifférence. Le tremblement de terre de 1985 aura permis l'émergence d'une conscience nouvelle, d'une volonté populaire cimentée par la solidarité.

1. D'après Carlos Monsiváis, *Entrada libre. Crónicas de la sociedad que se organiza*, Mexico, Editorial Era, 1987, p. 17-34.

Tremblement de terre, Mexico, 1985.
Photo : T. Campion / Publiphoto.

Tremblement de terre, Mexico, 1985.
Photo : B. Nation / Publiphoto.

LA RICHESSE DE LA DIVERSITÉ

Vouloir baliser l'imaginaire des Mexicains oblige à se poser les questions qu'eux-mêmes se posent sur les fondements et les contours de leur identité. Ce genre de questionnement ne débouche pas sur des réponses simples, bien sûr, et on peut dire qu'une bonne partie de la culture mexicaine actuelle, art populaire, littérature, cinéma, humour, se présente comme une grande réponse, foisonnante, aux multiples facettes et niveaux.

Dans l'ouvrage cité plus haut, l'anthropologue Guillermo Bonfil apportait, il y a quelques années, des éléments de réponse à certaines des questions posées autant par Vasconcelos que par Octavio Paz et Roger Bartra. Pour lui, un élément central du problème identitaire mexicain réside dans la place de l'amérindianité dans l'imaginaire collectif. Cela se rapporte autant aux douze millions de personnes qui se réclament explicitement de l'amérindianité aujourd'hui, dont la présence dérange parce qu'ils appartiennent officiellement au passé, qu'à l'immense majorité des autres, pour qui leur origine autochtone — pourtant évidente — demeure une honte, obscurément associée à la bâtardise. Concernant le premier groupe, depuis la Conquête, sa définition comme sa gestion ont été affaire d'Espagnols, puis de *criollos*, fluctuant, au gré des besoins du moment, entre deux images antithétiques : celle de l'« Indien Noble et Vertueux corrompu par la Conquête » et celle de l'« Indien Brutal et Ignorant que l'Occident a pour tâche de convertir ou de civiliser[19] ». En rompant avec cet être fictif et stigmatisé, les Mexicains, c'est-à-dire la majorité des descendants des peuples originels, ont cru pouvoir

Ramón Cano Manilla. India Oaxaqueña.
(Amérindienne de Oaxaca.) Huile sur toile. 149,5 x 99,5 cm. 1928.
Photo : Museo Nacional de Arte.

sortir du Labyrinthe. Le prix à payer fut énorme : un décalage permanent entre le Soi (depuis l'image du corps jusqu'à la façon de manger et de parler) et le statut octroyé par le groupe dominant dont on ne pourra jamais atteindre les normes esthétiques, économiques ou sociales. Tension qui débouche sur le retrait, l'alcool ou la violence.

Selon Bonfil Batalla, la solution au problème de l'identité ne peut donc passer que par l'intégration du multiple, non comme étape vers une substitution (comme pour les libéraux), ou vers une fusion (comme dans le rêve révolutionnaire du métissage intégral) mais sous la forme d'une mexicanité plurale.

Depuis le soulèvement zapatiste de janvier 1994, il semble que l'on assiste à un certain réajustement de l'imaginaire collectif. Chez un grand nombre de Mexicains, demeurés en marge de la croissance des dernières années, tout comme chez la jeunesse scolarisée et plusieurs intellectuels, le message zapatiste a eu un écho profond, dont témoignent les innombrables manifestations d'appui. Quand les insurgés des montagnes se sont présentés comme des autochtones, réclamant non seulement le droit de survivre mais celui de participer pleinement à la construction du Mexique nouveau qui s'élabore, ils ont éveillé plus que de la sympathie : un *courant d'identité*. Le voyageur était alors de retour au Mexique, membre cette fois d'une délégation d'observateurs internationaux appelés au Chiapas. « Nous avons oublié les Indiens », lui déclarait sans ambages un garçon de café de Mexico, « pourtant, ce sont eux qui nourrissent le pays. » Sur le même thème, un chauffeur de taxi renchérissait : « Le problème ce sont les étrangers... les étrangers qui nous gouvernent. » La frontière du Nous s'était soudain déplacée ; elle n'isolait plus les autochtones de la « majorité mexicaine », mais les grands intérêts, nationaux et étrangers, d'une majorité de petites gens et de démunis.

FEMMES MASQUÉES ZAPATISTES, 1997.
Photo : Gamma / Pono Presse Internationale.

Les diverses composantes de la société mexicaine contemporaine sont chacune porteuse d'une partie d'un héritage culturel profond et diversifié. Si la révolution de 1910-1917 a su engendrer une société relativement stable, c'est qu'elle a permis de combiner des éléments viables de cet héritage. Les Mexicains semblent s'entendre sur le fait que cette révolution-là est derrière, qu'elle a déjà porté les fruits qu'on pouvait en attendre, et qu'il faut inventer un autre chemin pour le Mexique du XXIe siècle.

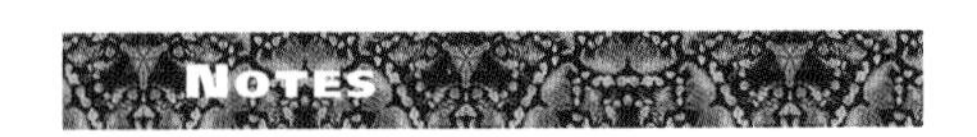

Introduction

1. Carlos Fuentes, *La frontera de cristal, Una novela en nueve cuentos* (La frontière de cristal. Un roman en neuf contes), Madrid, Alfaguara, 1995.
2. Roger Bartra, *La jaula de la melancolía. Identidad y metamorfosis del mexicano* (La cage de la mélancolie. Identité et métamorphose du Mexicain), Mexico, Editorial Enlace Grijalbo, 1987.
3. José Vasconcelos, *La raza cósmica* (La race cosmique), Mexico, Espasa-Calpe mexicana, 1948.
4. Samuel Ramos, *El perfil del hombre y la cultura en México* (Le profil de l'homme et de la culture au Mexique), Mexico, 1937
5. Octavio Paz, *El laberinto de la soledad* (Le labyrinthe de la solitude), Mexico, Fondo de Cultura Económica, 1959.

Chapitre 1

6. La tradition veut que les autochtones, impressionnés par le dénuement matériel des franciscains, aient donné à fray Toribio de Benavente ce nom de *Motolinia* qui, en nahuatl, veut dire «il se fait humble».
7. Partie de Cuba le 10 février 1519, l'expédition de Cortés toucha d'abord les côtes du Yucatan. Il y recupéra Jerónimo de Aguilar, Espagnol naufragé qui avait vécu huit ans chez les Mayas et parlait bien leur langue. Plus tard, sur la côte du Tabasco, les caciques remirent à Cortés, avec d'autres présents, vingt jeunes femmes; l'une d'elles, Malintzin, parlait à la fois le maya et le nahuatl, langue des Aztèques. Grâce à ces deux interprètes, ou «truchements» *(lenguas)*, Cortés put aisément communiquer avec les envoyés de Moctezuma. Malintzin, baptisée sous le nom de Marina, devint la maîtresse de Cortés et eut de lui un fils, Martín Cortés.
8. En 1511, à Saint-Domingue, le dominicain Antonio de Montesinos dénonça dans un sermon célèbre les abus commis par les Espagnols contre les Amérindiens. Suite à ces dénonciations, furent promulguées, en 1512, les Lois de Burgos, par lesquelles la Couronne tenta de réglementer les rapports entre les nouveaux arrivants et les autochtones. Appartenant à l'ordre de saint Dominique et professeur de théologie à Salamanque, Francisco de Vitoria mit en cause la légitimité même des guerres de la Conquête et donc de la domination espagnole en Amérique. La publication de sa *Relectio de Indis*, en 1539, attira à tout l'ordre un interdit royal de prêcher ou de discuter de ce thème.

Chapitre 2

9. Octavio Paz, *El laberinto de la soledad* (Le labyrinthe de la solitude), Mexico, Fondo de Cultura Económica, 1959, p. 43.

Chapitre 3

10. Cependant, si la grande majorité des Mexicains se reconnaît dans cet «Indien d'Oaxaca, vainqueur des Français», les milieux catholiques (surtout de l'ouest du pays) ne lui pardonneront pas d'avoir exproprié les biens de l'Église et d'avoir privé cette dernière de tout statut constitutionnel (situation qui ne sera révoquée qu'en 1994). Cette rupture au niveau de l'imaginaire correspond à une rivalité traditionnelle entre l'Ouest et le Centre, qui s'intensifie périodiquement. Ainsi, dans les années 1920, lorsque le président Calles, appliquant au pied de la lettre les principes libéraux de 1856, mettra l'Église hors-la-loi, cette dernière ripostera en organisant dans l'ouest du pays l'importante rébellion des *cristeros*, les «soldats-du-Christ-Roi», qui durera près de dix ans (voir Jean Meyer: *La Cristiada. 3 - Los cristeros*. Mexico, Siglo XXI Editores, 1974).

11. En 1838, une escadre française vint menacer Veracruz, exigeant une indemnisation pour des dommages subis par des commerçants français. L'un de ces derniers était pâtissier, d'où le nom donné à l'affaire par la presse mexicaine: *la guerra de los pasteles*.
12. Entre 1848 et 1852, le Yucatan fut dévasté par la «Guerre des castes», conflit interethnique aux longues séquelles, dans lequel se mêlèrent la résistance des autochtones à remplacer la culture du maïs par celle du *henequén* (agave dont les fibres étaient destinées à l'exportation) et le mouvement messianique des «croix parlantes».

Chapitre 4

13. Ces «tours» sont en fait les impressionnantes *mesas*, restes d'un plateau ancien qui fut rongé par l'érosion, et dont les parois verticales se dressent au milieu du désert.
14. La revue *Contemporáneos* (1928-1931) fut le point de ralliement d'un groupe d'intellectuels qui s'opposaient à l'engagement politique en art, comme le préconisaient les muralistes. Paradoxalement, leur réaction contre *lo mexicano*, contribuera, selon Roger Bartra, à renforcer l'image d'une irréductible mexicanité (*La jaula de la melancolía*, p. 19-20).
15. José Guadalupe Posada, célèbre graveur et caricaturiste mexicain du tournant du siècle, est considéré comme l'un des créateurs de l'art populaire mexicain. Il exercera une influence marquée sur Rivera. On doit à Posada ces scènes où la Mort, sous la forme d'un squelette vêtu et animé, se mêle aux activités des vivants.

Chapitre 5

16. Guillermo Bonfil-Batalla, *México profundo. Una civilización negada*, Mexico, CIESAS / SEP, 1987.
17. *Los rituales del caos*, de Carlos Monsiváis, p. 49.
18. Pour des raisons évidentes, les noms des conférenciers ont été modifiés.

Conclusion

19. Voir «Un débat à plusieurs voix. Les Amérindiens et la nation au Mexique», *Recherches amérindiennes au Québec*, vol. 25, no 4, p. 15-30 (1995).

BARTRA, Roger, *La jaula de la melancolía. Identidad y metamorfosis del mexicano*, Mexico, Editorial Enlace Grijalbo, 1987.

BEAUCAGE, Pierre, « Un débat à plusieurs voix : les Amérindiens et la nation au Mexique », *Recherches amérindiennes au Québec*, Vol. 25 (4) : 15-30, 1995.

BONFIL BATALLA, Guillermo, *México profundo. Una civilización negada*, Mexico, CIESAS / SEP, 1987.

CARERI, Gemelli, *Le Mexique à la fin du XVIIe siècle, vu par un voyageur italien* (Présentation de Jean-Pierre Berthe), Paris, Calmann-Lévy, 1968.

CHARNAY, Désiré, *Le Mexique 1858-1861. Souvenirs et impressions de voyage* (commenté par Pascal Mongne), Paris, Éditions du Griot, 1987.

CHAUNU, Pierre, *L'Amérique et les Amériques*, Paris, Armand Colin, 1964.

COE, Sophie D., *America's First Cuisines*, Austin, University of Texas Press, 1994.

COOK, Sherburne F. et W. BORAH, *Essays in population history. Mexico and the Caribbean*, Berkeley, University of California, 1975.

CORTÉS, Hernán, *La conquête du Mexique*, Paris, Maspéro, 1979.

DIAZ DEL CASTILLO, Bernal, *Histoire véridique de la conquête de la Nouvelle-Espagne*, Paris, Maspéro, 1980.

FUENTES, Carlos, *Le miroir enterré. Réflexions sur l'Espagne et le Nouveau Monde*, Paris, Gallimard, 1994.

__, *La frontera de cristal. Una novela en nueve cuentos*, Madrid, Alfaguara, 1995.

GAGE, Thomas, *Nouvelle relation contenant les voyages de Thomas Gage dans la Nouvelle-Espagne*, (Facsimilé de l'édition française de 1676), Genève, Slatkine Reprints, 1979.

GIBSON, C., *The Aztecs Under Spanish Rule. A History of the Indians of the Valley of Mexico 1519-1810*, Standford, Standford University Press, 1964.

GRUZINSKI, S., *Les Hommes-dieux du Mexique. Pouvoir indien et société coloniale, XVIe et XVIIIe siècles*, Paris, Éditions des Archives Contemporaines,1985.

__, *La colonisation de l'imaginaire. Sociétés indigènes et occidentalisation dans le Mexique espagnol, XVIe-XVIIe siècle*, Paris, Gallimard,1988.

HASSIG, Ross, *Aztec Warfare. Imperial Expansion and Political Control*, Norman (Oklahoma) et Londres, University of Oklahoma Press, 1998.

HUMBERT, Marc, *Le Mexique*, Paris, Presses Universitaires de France, 1994 (coll. « Que sais-je », n° 1666).

LAS CASAS, Fray Bartolomé de, *Obra indigenista* (Introduction et notes de José Alcina Franch), Madrid, Alianza Editorial. (En français, nous avons sa *Très brève relation de la destruction des Indes*. Paris, Maspéro, 1979.)

LAS CASAS, Fray Bartolomé de, SAHAGUN, Fray Bernardino de, ZUMARRAGA, Fray Juan *et al.*, *Idea y querella de la Nueva España*. (Préface, notes et choix de textes de Ramón Xirau) Madrid, Alianza Editorial, 1973.

LAVIANA-CUETOS, María Luisa, *La América española, 1492-1898. De las Indias a Nuestra América*, Madrid, Ediciones Temas de Hoy (Coll. « Historia de España », n° 14), 1996.

LE CLÉZIO, J.M.G., *Diego & Frida*, Paris, Stock, 1993.

__, *La fête chantée*, Paris, Gallimard, 1997.

LEWIS, Oscar, *Les enfants de Sánchez. Autobiographie d'une famille mexicaine*, Paris, Gallimard, 1963 (nombreuses rééditions).

MEYER, Jean, *La Révolution mexicaine, 1910-1940*, Paris, Calmann-Lévy, 1973.

__, *Apocalypse et révolution au Mexique. La guerre des Cristeros (1926-1929)*, Paris, Gallimard-Julliard, 1974.

MONSIVÁIS, Carlos, *Los rituales del caos*, Mexico, Ediciones Era, 1995.

MONOD-BECQUELIN, Aurore (dir.), *Feu maya. Le soulèvement au Chiapas*, Paris, Éd. Peuples autochtones et développement, (coll. « Ethnies, n°s 16-17 »).

MOTOLINIA (fray Toribio de BENAVENTE, dit), *Relaciones de la Nueva España* (Introduction et choix de textes de L. Nicolau d'Olwer), Mexico, Universidad Nacional Autónoma, 1994.

MUSSET, Alain, *Le Mexique*, Paris, Masson, (coll. «Géographie»), 1990.

NADAL, Marie-José, *À l'ombre de Zapata*, Montréal, Éd. de la Pleine Lune, 1994.

PAZ, Octavio, *Le labyrinthe de la solitude*. Paris, Gallimard, 1972. *El laberinto de la soledad*, Mexico, Fondo de Cultura Económica, 1959.

__, *Tiempo nublado*, Barcelona, Editorial Seix Barral, 1996.

SOUSTELLE, Jacques, *La vie quotidienne des Aztèques à la veille de la conquête espagnole*, Paris, Hachette, 1955 (nombreuses rééditions).

VASCONCELOS, José, *La raza cósmica*. Mexico, Espasa-Calpe Mexicana, 1948.

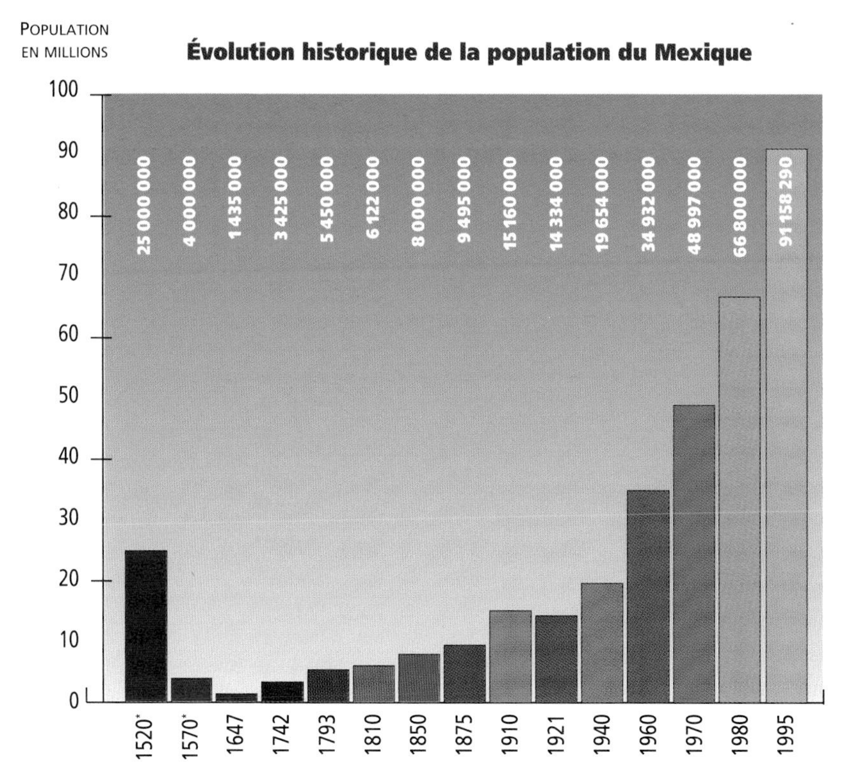

Noter l'effondrement qui suivit la conquête espagnole, puis la très lente remontée, jusqu'à l'explosion démographique du dernier demi-siècle. [On invoque surtout l'impact des grandes épidémies pour expliquer la chute d'après la conquête.]

* Selon Cook et Borah, 1975.
Source : INEGI 1995

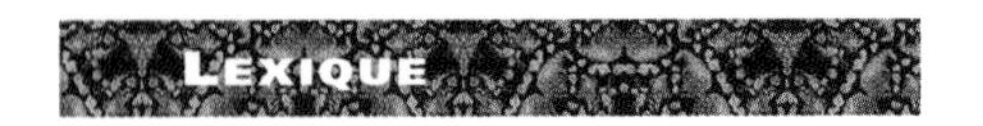

Lexique

(des mots espagnols et amérindiens)

Adobe - Briquette d'argile séchée au soleil.

Alcalde - Alcade ou maire dans le système administratif espagnol. Terme remplacé, après la Révolution, par *presidente municipal*, pour exprimer une (illusoire) indépendance politique des municipalités.

Alcalde mayor - «Chef de district», sous la colonie espagnole. Les titres des *encomiendas* tombées en déshérence ou abolies après 1544 revenant à la Couronne, les autochtones furent regroupés en communautés (*repúblicas de indios*) ayant à leur tête d'abord les anciens *caciques* puis des autorités indigènes élues; disposant d'une certaine autonomie interne, les communautés demeuraient sous la surveillance directe d'un «chef de district» espagnol (*alcalde mayor*) et du clergé.

Axolotl - Amphibien urodèle (comme la salamandre) qui possède la propriété de se reproduire à l'état larvaire. Espèce protégée, l'axolotl vit dans ce qui reste des lacs de la vallée centrale. *Ambystoma mexicanum.*

Banda de guerra - Fanfare municipale.

Cacique - Mot d'origine antillaise, signifiant «chef». Le terme sera repris par les Espagnols pour désigner les divers types d'autorités autochtones. Dans un premier temps, les privilèges des *caciques* seront maintenus et on les utilisera pour contrôler les peuples conquis. Vers la fin du XVIe siècle, ils seront progressivement remplacés par des autorités locales élues. À partir du XIXe siècle, le terme fait référence aux détenteurs du pouvoir économique régional, qui contrôlent également les instances politiques.

Castas - Littéralement «caste». Dans l'Amérique coloniale, le terme en vint à désigner tous ceux qui n'appartenaient pas aux deux groupes fondamentaux: les Indiens et les Espagnols, ainsi que leurs descendants.

Caudillo - Pendant et après la Révolution, chef charismatique autochtone ou métis, à la tête d'un mouvement populaire qui défie l'autorité d'un *cacique*.

Cuauhtémoc - Aigle-descendant (c'est-à-dire: coucher du soleil), dernier empereur aztèque (env. 1497-1524), fils d'Ahuizotl et d'une sœur de Moctezuma, il fut fait prisonnier et pendu par Cortés; on le décrivait comme intelligent, affable, courageux et de belle apparence; il est resté le symbole de la résistance face à la Conquête.

Chicano - Se dit d'un Américain d'ascendance mexicaine comme d'un Mexicain vivant de façon permanente aux États-Unis.

Chilango, chilanga - Surnom des habitants de la ville et de la vallée de Mexico.

Cocoliztli - Mot nahuatl signifiant «maladie». Les autochtones désignèrent ainsi les épidémies mortelles qui survinrent après l'arrivée des Européens, parmi lesquelles la petite vérole semble avoir été la plus meurtrière. Celles de 1544-1547 et 1573-1576 causèrent de véritables hécatombes.

Códices - Nom donné par les Espagnols aux documents amérindiens qu'ils trouvèrent. Les riches dessins polychromes (glyphes) tracés sur du papier d'écorce de ficus, se rapportent à l'ethnohistoire, à la toponymie, aux tributs versés, etc. À plusieurs, on a ajouté des inscriptions en caractères latins, qui en expliquent le sens.

Congregaciones - L'instauration des *repúblicas de indios* incita l'Église à promouvoir le regroupement des autochtones, qui souvent vivaient semi-dispersés, en communautés compactes (*congregaciones*); elle pouvait ainsi mieux contrôler l'observance des rites chrétiens et le versement des redevances. Les Amérindiens résistèrent à cette politique et souvent profitèrent des périodes de relâchement administratif pour retourner au mode de peuplement traditionnel.

Copal - Sève de différentes espèces d'arbre (principalement du genre *Bursera*) utilisée comme encens et remède depuis les temps préhispaniques. Les Espagnols le nommaient également «encens du pays» et les Aztèques *copalli*.

Corregidor - Suite à la restructuration qui suivit la dissolution *encomiendas*, administrateur espagnol ayant des pouvoirs civils et juridiques; troisième palier sous le vice-roi et les gouverneurs (voir *repartimiento de indios*).

Corrido - Chanson populaire ayant pour thème les aventures d'un héros de la Révolution; aujourd'hui un sous-genre célèbre les exploits des narcotraficants.

Coyote - Passeur, souvent peu scrupuleux, qui guide un groupe d'immigrants mexicains vers les États-Unis, moyennant rétribution.

Cúe - Mot d'origine antillais par lequel les Espagnols désignaient les lieux de cultes autochtones.

Delegaciones - Subdivisions administratives de la ville de Mexico.

Doctrinas - À des fins d'évangélisation, la population autochtone fut d'abord regroupée en un certain nombre d'unités (*doctrinas*, «doctrines»), placées sous la responsabilité des ordres religieux. À partir d'un «chef-lieu» (*cabecera de doctrina*), le clergé contrôlait la pratique du culte dans un ensemble de communautés indigènes, en s'appuyant au besoin sur les autorités civiles régionales.

Ejes viales - Voies dites «rapides» qui traversent Mexico.

Ejido - Produit de la réforme agraire, l'*ejido* mexicain actuel est une redistribution de terres faite par l'État à une communauté paysanne, qui à son tour en donne l'usufruit à ses membres. Jusqu'en 1992, ces derniers ne pouvaient ni la louer ni la vendre, et seulement transmettre leurs droits à un fils, à leur mort. Depuis la réforme à l'article 27 de la Constitution mexicaine (février 1992), l'assemblée des *ejidatarios* peut dissoudre la communauté et ses membres, disposer de leur parcelle comme d'un bien privé. Cette «liquidation de l'ejido», qui correspond à l'orientation néolibérale de la politique économique actuelle, a suscité d'intenses débats au sein du mouvement paysan. Ainsi, en 1994, les paysans prozapatistes ont occupé des centaines de grandes propriétés et exigé la constitution de nouveaux *ejidos*.

Encomienda, encomendero - Première forme juridique de domination coloniale, l'*encomienda* confiait à un Espagnol (*encomendero*) des pouvoirs très étendus sur un groupe autochtone conquis, à charge de les convertir au christianisme. Équivalant le plus souvent à un véritable esclavage, l'*encomienda* devint rapidement la cible principale des critiques des Montesinos et Las Casas (voir note 1), qui lui attribuèrent l'extermination des premiers habitants des Grandes Antilles. Il faudra attendre les Nouvelles Lois des Indes (1544) pour qu'elle devienne d'abord non héréditaire, avant d'être finalement abolie, remplacée par le *repartimiento de indios*.

EZLN - Ejercito Zapatista de Liberacion Nacional. Mouvement armé composé principalement d'autochtones mayas et dont le principal porte-parole est le «subcomandante Marcos». Depuis l'insurrection de janvier 1994, l'EZLN demande la redistribution des terres et une véritable reconnaissance de l'identité indienne.

Gachupines - Sobriquet donné aux Espagnols par les Mexicains.

Gavachos - Sobriquet donné aux Français par les Mexicains, au milieu du XIXe siècle.

Guadalupano - Terme péjoratif désignant, après la Révolution, les membres de groupes nationalistes traditionnels et catholiques.

Hacienda - Au Mexique, le terme désigne une grande propriété foncière, consacrée soit à l'élevage, soit à des cultures commerciales, tels le sucre ou l'agave. Liées à l'origine à l'économie minière, les haciendas se multiplièrent aux XVIIe et XVIIIe siècles, en même temps qu'elles se tournaient vers l'autosuffisance, dans un contexte général de stagnation économique. Elles connaîtront leur plus grand essor à la fin du XIXe siècle, quand la suppression des titres ecclésiastiques et communautaires mettra sur le marché de vastes étendues de terres, en même temps qu'une main-d'œuvre abondante et bon marché. Une bonne partie des terres des haciendas fut redistribuée aux paysans dans les décennies qui suivirent la révolution mexicaine.

Hidalgo - Noble espagnol, fortuné ou non; littéralement «fils de quelque chose».

Huipil - Mot d'origine nahuatl (*huipilli*) désignant les blouses féminines faites traditionnellement d'une seule pièce de tissu et brodées selon un motif propre à chaque communauté.

Jarocho, jarocha - Surnom donné aux habitants de l'État de Véracruz.

Malinchismo - Terme péjoratif pour désigner le comportement de celui qui se laisse jeter de la poudre aux yeux par les étrangers, et «trahit les siens»; de Malinche, nom espagnolisé de Malintzin, interprète et maîtresse de Cortés.

Mapache - Raton laveur.

María - Indienne mazahua vendant des poupées de chiffon, de l'artisanat ou des fruits dans les rues de la capitale.

Mayordomo - Responsable d'organiser la fête du saint patron, dans les villages autochtones.

Mexicanidad - «Mexicanité», l'identité profonde des Mexicains. Si peu doutent de son existence, son contenu précis est l'objet d'un débat inachevé.

Mictlan - Le pays des morts, pour les Aztèques, associé au Nord désertique.

Migra - Abréviation de *migración* désignant les *Immigration and Naturalization Services* des États-Unis, responsables, entre autres, du contrôle de l'immigration illégale.

Mole - De *molli*, sauce en nahuatl, plat composé d'un morceau de poulet arrosé de sauce au piment, aux noix et aux épices. Le mole peut être, selon sa région d'origine, «vert», «rouge» ou «poblano» (au cacao).

Norteño, norteña - Nom donné aux habitants des États situés à la frontière nord du pays. On appelle aussi *norteña* la musique typique de cette région.

Pachuco - Dans les années 1950, jeune dandy mexicain, rebelle et existentialiste, vivant aux États-Unis.

Peón - Originellement: fantassin. Aujourd'hui: ouvrier agricole ou manœuvre dans la construction.

Periférico - Autoroute qui circonscrit la ville de Mexico.

Pièce de huit - Ancienne appellation française du peso. Frappé avec l'argent des mines, à Mexico, le peso se divisait en huit *reales*.

Pulque - Boisson fermentée, à base de sève d'agave, dont la consommation est encore très répandue dans la région centrale du Mexique, parmi les paysans et dans les milieux populaires urbains. Il constitue l'un des symboles de la mexicanité, comme le souligne l'expression: *Más mexicano que el pulque* («Plus mexicain que le pulque»). La sève fermentée de certains agaves, une fois distillée, donne la *tequila* et le *mezcal*.

Regente - Nom donné à l'autorité suprême de la ville de Mexico, nommé par la présidence. Depuis le 6 juillet 1997, il a été remplacé par un maire élu au suffrage universel.

Regidor - Conseiller municipal.

Repartimiento de indios - Après l'abolition de l'encomienda, des fonctionnaires (*corregidores*) devinrent responsables de la «répartition» de la main-d'œuvre autochtone dans les mines et les entreprises agricoles. En principe, les travailleurs devaient être payés, logés et nourris selon des normes préétablies, et le nombre des recrues ne devait pas dépasser le quart des hommes valides d'une communauté.

Repúblicas de indios - Statut juridique des communautés autochtones après les Nouvelles Lois des Indes (1544) (voir *encomienda*).

Requerimiento - Décrit par les historiens comme un «surprenant mélange de légalisme et de cynisme», le *requerimiento* était un document qui demandait aux autochtones d'accepter de bon gré la suzeraineté du roi d'Espagne, à qui le pape avait donné les terres du Nouveau Monde. Les conquistadors étaient tenus d'en faire lecture avant d'attaquer! Il faut noter que si on l'impose dès 1513, ce n'est qu'en 1526 qu'on exigera la présence d'un interprète... (voir Laviana-Cuetos 1996: 38).

Tamal - Pâté de maïs, enveloppé dans des feuilles et cuit à l'eau.

Tamoanchan - Le «paradis terrestre» des Aztèques, situé dans les régions fertiles de l'est et régi par Tlaloc, le dieu de la pluie.

Tehuana - Nom des femmes zapotèques de la région de Tehuantepec, célèbres pour leur assurance, leur dynamisme et la beauté de leurs vêtements.

Templo Mayor - Nom donné par les Espagnols au temple principal de Mexico-Tenochtitlan. Il comprenait les deux temples-pyramides, consacrés l'un à Tlaloc, dieu de la pluie, l'autre à Huitzilopochtli, dieu de la guerre et protecteur des Aztèques. Après la conquête de la ville, l'ensemble fut rasé et les pierres utilisées, entre autres, pour construire la cathédrale de Mexico.

Trapiche - Moulin à traction animale où l'on broie la canne à sucre. L'eau de canne est mise à bouillir dans une grande chaudière jusqu'à ce qu'il se forme un sirop épais qu'on refroidit dans des moules pour obtenir les pains de sucre (*panela*).

Vaquero - Cow-boy mexicain; d'origine andalouse, la «culture de l'homme à cheval» s'est propagée vers le nord du Mexique avec les Métis et les Créoles, pour finalement atteindre les États-Unis.

Zócalo - Nom de la place centrale de Mexico, officiellement appelée *Plaza de la Constitución*. Le nom tire son origine du socle énorme (*zócalo*) qui attendit pendant des années la statue de Charles IV qu'il devait supporter. Le nom a été ensuite étendu aux places centrales des autres villes du pays.

ANNÉES	MEXIQUE	MONDE
5000 av. J.-C.	Début de la culture du maïs et de la vie villageoise	Néolithique
1400-400 av. J.-C.	Culture olmèque. Invention de l'écriture et du calendrier	1400-1200 Développement de la civilisation mycénienne
50 ap. J.-C.	Construction de la pyramide du Soleil à Teotihuacán	43 Conquête de la Bretagne par les Romains
600	Apogée de la civilisation maya	590 Pontificat de Grégoire le Grand 610 Début de la prédication de Mahomet
900	El Tajín sur la côte du Golfe, Tula, Cacaxtla, Xochicalco au Mexique central	910 Fondation de l'abbaye de Cluny
1000	Essor de la culture mixtèque	Les Vikings colonisent le Groenland et créent des colonies éphémères sur les côtes du Labrador et de Terre-Neuve La civilisation de Thulé se répand sur l'Arctique
1063	Chute de Tula (selon l'histoire aztèque) vers 1200: abandon de Tula	1099 Prise de Jérusalem par les croisés
1325	Fondation mythique de Mexico-Tenochtitlan 1428: Fondation de la Triple Alliance	Pétrarque publie le *Canzoniere* Règne d'Alphonse IV d'Aragon Moscou devient le siège du patriarcat russe
1440	Avènement de Moctezuma I Expansion de l'empire aztèque	Jean de Castille se proclame roi de Navarre Michelozzo construit le palais Médicis à Florence
1450-1454	Grande famine	Reprise des hostilités entre la France et l'Angleterre Gutenberg ouvre un atelier d'imprimerie à Mayence Donatello: *Gattamelata*
1500	Inondation de Mexico-Tenochtitlan due à des travaux de terrassement sous le règne d'Ahuizotl	1493 Fondation d'Hispaniola Le traité de Tordesillas partage le Nouveau Monde entre l'Espagne et le Portugal 1497 John Cabot débarque en Amérique du Nord
1502-1520	Règne de Moctezuma II	1502 Colomb rencontre des marchands méso-américains Expulsion des Maures d'Espagne Rupture entre la France et l'Aragon Michel-Ange: *Pietà*
1521	Reddition de Mexico-Tenochtitlán	Excommunication de Luther Machiavel: *Dialogue sur l'art de la guerre* Les Tatars incendient les faubourgs de Moscou
1524	Arrivée en Nouvelle-Espagne de douze franciscains	1524 Giovanni Verazzano explore la côte de l'Amérique du Nord Premier voyage de Pizarro au Pérou 1534-1535 Jacques Cartier explore le Saint-Laurent

ANNÉES	MEXIQUE	MONDE
1539	Première imprimerie en Nouvelle-Espagne Parution du premier livre rédigé en nahuatl et en espagnol	1542 Abandon de la colonie fondée par Cartier dans la vallée du Saint-Laurent Michel-Ange : *Jugement Dernier* (chapelle Sixtine) Copernic : *De Revolutionibus* Organisation de la Compagnie de Jésus
1553	Création de l'Université de Mexico	1554 Réconciliation de l'Angleterre avec le pape Ronsard : *Bocage* 1555 Les Français pillent La Havane et tentent de s'établir au Brésil
1563	Début de la construction de la cathédrale de Mexico	Les jésuites au Japon et en Pologne Agitations aux Pays-Bas contre les Espagnols Début des guerres de religion en France
1575	Bernardino de Sahagún et ses informateurs travaillent au Codex de Florence	Don Juan, gouverneur des Pays-Bas Martin Frobisher cherche le passage du Nord-Ouest
1576	Épidémie de *cocoliztli*, maladie d'origine européenne	1585 Établissement des premiers colons britanniques à Roanoke Island (Caroline du Nord)
1608	Mateo Alemán, auteur de romans picaresques espagnols, s'établit à Mexico et rédige une grammaire castillane qu'il publie sur place	Les Français fondent Québec Galilée invente le télescope Lope de Vega publie : *Jerusalem conquistada*
1625	Thomas Gage visite Mexico	Les Hollandais fondent la première colonie permanente à Manhattan Les Français occupent les Antilles et la Cayenne Vélasquez : *Les Buveurs*
1648	Naissance de sœur Juana Inéz de la Cruz, poétesse et dramaturge mexicaine	Guerre civile en Angleterre 1665 Arrivée de l'intendant Jean Talon à Québec qui compte 747 habitants
1737	La Vierge de Guadalupe devient patronne de Mexico	La Nouvelle-France compte 42 701 habitants Vitus Behring découvre le détroit qui portera son nom
1767	Expulsion des jésuites de la Nouvelle-Espagne	Début du conflit entre l'Angleterre et ses colonies d'Amérique
1810	Début du mouvement d'Indépendance	Insurrection générale des colonies espagnoles d'Amérique
1821	Déclaration de l'indépendance Iturbide se fait proclamer empereur du Mexique (1822)	1818 Début de l'immigration irlandaise au Canada
1846-1848	Guerre entre le Mexique et les États-Unis L'armée américaine occupe la ville de Mexico	Découverte des mines d'or en Californie
1848	Traité de Guadalupe Hidalgo Le Mexique perd le Texas, la Californie, l'Arizona, le Nouveau Mexique, le Nevada et l'Utah, ainsi qu'une partie du Colorado et du Wyoming.	1851 Coup d'État de Louis-Napoléon en France 1854 Inauguration de la Grande Ligne de chemin de fer du Nord canadien
1860	Benito Juárez prend le pouvoir	1859 Les Français occupent Saigon 1861 Début de la guerre de Sécession

ANNÉES	MEXIQUE	MONDE
1864	Entrée de Maximilien à Mexico, occupée par l'armée française	Conférences de Charlottetown pour préparer la Confédération canadienne
1877	Porfirio Díaz, président du Mexique	1876 Adoption au Canada de la Loi sur les Indiens
		1877 Edison invente le phonographe 1878 Exposition universelle à Paris
1894	Une nouvelle loi sur la tenure foncière favorise la concentration des grandes propriétés La revue *Azul* inaugure le modernisme litttéraire	Guerre sino-japonaise Lumière invente le cinématographe
1906	Grève de la Cananea Consolidated Copper, suivie par une grève du textile au niveau national	Graves troubles sociaux en Russie
1910	Soulèvement révolutionnaire Centenaire de l'indépendance	Ouverture de l'Abitibi à la colonisation
1911	Exil de Porfirio Díaz Madero au pouvoir Zapata reprend les armes	1912 Abdication de l'empereur en Chine 1917 Révolution en Russie
1922	Les peintres Rivera, Mérida et Charlot réalisent leurs premières murales	Mussolini s'empare du pouvoir en Italie Famine en Russie
1929	Fondation du Parti national révolutionnaire, toujours au pouvoir en 1998 (actuel PRI)	Fin du contrôle militaire allié en Allemagne Collectivisation des terres en URSS
1938	Nationalisation de l'industrie du pétrole Arrivée des réfugiés espagnols	Hitler occupe l'Autriche Guerre civile en Espagne
1940	Assassinat de Trotski à Mexico	1939 Début de la Deuxième Guerre mondiale
1950	Débuts de la télévision	1948 Coup d'État en Tchécoslovaquie Fondation de l'État d'Israël
1968	Jeux olympiques à Mexico Massacre de Tlatelolco	1966 Début de la Révolution culturelle en Chine
		Troubles étudiants en France et aux États-Unis
1985	Tremblement de terre ressenti très durement à Mexico. Manifestations de solidarité populaire	La destruction de la forêt amazonienne déclenche le débat sur les choix du développement
1993	Signature de l'Accord de libre-échange entre les États-Unis, le Canada et le Mexique	
1994	Insurrection zapatiste au Chiapas	
1997	Élection démocratique du premier maire de Mexico, Cuauhtemoc Cárdenas	

Sources :

- GRUN, Bernard, *The Time Tables of History*, New York, Simon and Schuster, 1982.
- DELORME, Jean, *Chronologie des civilisations*, Paris, PUF, 1969.
- HOMBERGER, Eric, *Atlas historique de l'Amérique du Nord*, coll. « Atlas / Mémoires », Paris, Éditions Autrement, 1995.

L'exposition *Imaginaires mexicains*

L'exposition *Imaginaires mexicains*, dédiée à la mémoire de Cristina Payán †, directrice du Museo Nacional de Culturas Populares de 1994 à 1997, est le fruit d'une étroite collaboration entre le Mexique et le Québec.

Sous la présidence d'honneur de

Rafael Tovar y de Teresa, président du Consejo Nacional para la Cultura y las Artes du Mexique

Louise Beaudoin, ministre de la Culture et des Communications du Québec

La direction

Mexique

José N. Iturriaga, Director General, Dirección General de Culturas Populares

Alejandra de la Paz, Coordinadora de Asuntos Internacionales

Cristina Payán †, Sol Rubín de la Borbolla, Dirección, Museo Nacional de las Culturas Populares

Québec

Roland Arpin, directeur général, Musée de la civilisation

Michel Côté, directeur, Direction des expositions et des relations internationales

Hélène Bernier, directrice du Service des expositions internationales

La réalisation

Mexique

Miriam Kaiser, Marco Barrera Bassols, coordination de l'exposition
Francisco Moreno Dominguez, adjoint
Idée originale du scénario:
Francisco Reyes Palma
Recherche et conversation préliminaires:
Francisco Reyes Palma, César Carrillo Trueba, Teresa Márquez; *conservateurs:* Miguel Angel Trinidad, Gilda Velázquez, Catalina Rodríguez, Carmen Ramírez, Edgardo Ganado Kim.
Documentation: Tania Barberán, Regina Schondube, Carla Zurián; *assistance:* Lourdes Barraza, Lina Garay Vaquera, Edmundo Martín del Campo, Julio César Martínez, Yolanda Martínez, José Pamplona, Elia A. Vicente Celis.
Gestion des collections: Catalina Juárez, Carla Zurián; *assistance:* Amaranta Galván Jiménez.
Secrétariat: Valentina Máxil.
Photographie: Luis Pérez Falconi, Óscar Necoechea.
Admistration: Ricardo Nápoles Rendón, Manuel Pérez, Miguel Zinden.
Fabrication: Lázaro González.

Québec

François Tremblay, chargé de projet

José Lopez Arellano, Marie-Charlotte De Koninck, Monique Lippé, Pierre Beaucage, Dominique Raby, Nicole Grenier, Danielle Rompré, Isabelle Gélinas, Jean-Marie Barrette

Les Architectes Tétreault, Parent, Languedoc et Associés, Marinelli Anctil Art&Design, Sel d'Argent, Trans-optique inc., Cordova Plaza, Le Groupe Korem, Groupe Cartier, Syn-textes inc., Axe, CEF inc., François-Marie Gérin, Le Cagibi, Yvon Harton, Gaétan Gagné, Gilles Piché, Denyse Saint-Jean, Pierre Paquet, Louis Lamontagne

Avec l'appui de

Jaime Garcia Amaral, consul général du Mexique au Québec

Patrice Lafleur, délégué général du Québec au Mexique

Le Consejo Nacional para la Cultura y las Artes et le Musée de la civilisation remercient

Le Museo Nacional de Culturas Populares-CNCA

Les institutions de l'Instituto Nacional de Antropologia e Historia-CNCA

Museo Nacional de Antropología, Museo Nacional de Historia, Museo Nacional de las Intervenciones, Museo Nacional del Virreinato, Museo Regional de Antropología, Palacio Canton, Merida, Museo Regional de Guadalajara, Museo Regional de Guanajuato, Alhondiga de Granaditas (Guanajuato), Museo Regional de Historia de Colima, Museo Regional Michoacano, Museo Regional de Nayarit, Museo Regional de Oaxaca, Museo Regional Potosino, Museo Regional de Puebla, Museo Regional de Querétaro, Museo Regional de Tlaxcala, Museo de sitio de Teotihuacan, Centro INAH-Tlaxcala, Complejo Arqueólogico Cacaxtla-Xochitecatl, Fototeca INAH/Archivo Casasola

Les institutions de l'Instituto Nacional de Bellas Artes-CNCA

Museo de Arte Moderno, Museo Nacional de Arte, Centro Nacional de Conservación y Registro del Patrimonio Artístico Mueble

Les collaborateurs

Franco Aceves Humana, Lola Alvarez Bravo, Ricardo Anguia, Carlos Ashida, Jose Trinidad Camacho, Francis Alys, Olinca Fernández, Claudia Fernández, Martha Figueroa, Flor Garduño, Paolo Gasparini, Jaime Goded, Angela Gurria, Graciela Iturbide, Omar Meneses, Miguel Morales, Pablo Ortiz Monasterio, Ricardo Pérez Escamilla, Luis Pérez Falconi, José Raúl Pérez, Arturo Rivera, Alejandro Romero, Betzabé Romero, Hermanos Sabinas, Aquilino Salgado Monroy, Adriana Siqueiros, José Ignacio Solorzano, Superbarrio, Diego Toledo, Vicente Valdez de la Rosa, Teresa Velázquez, Mariana Yampolski, Grupo de Diseño Urbano: Mario Schjetnan, José Luis Pérez

Les autres institutions

Archivo General de la Nación-Secretaría de Gobernación, Fundación Cultural Serfín, Grupo Pulsar Internacional, Instituto Mexiquense de Cultura, Museo de Antropología, Universidad Veracruzana, Museo de Artes e Industrias Populares-Instituto Nacional Indigenista, Museo de la Basílica de Guadalupe, Museo Franz Mayer, Museo de Historia Mexicana, Museo de Monterrey, Museo Nacional de la Máscara de San Luis Potosí, Museo del Pueblo de Guanajuato, Museo Rafael Coronel de Zacatecas, Museo Ruth Lechuga, Museo de la Secretaría de Hacienda y Crédito Público

Les commanditaires

Le Groupe La Mutuelle, la Compañía Mexicana de Aviación

Coordinación Nacional de Medios Audiovisuales-CNCA

Les réalisations audiovisuelles

***La ville de Mexico*:** idée originale: Cesar Carrillo Trueba; producteur exécutif: Gabriela Islas; assistant à la production: Socorro López; assistant à la direction et au montage: Gerardo Hellion; direction et montage: Luis Lupone. México ©1998

***Le compte des jours*:** idée originale: César Carrillo Trueba; coordination générale: Luis Pérez Falconi; assistant à la direction et au montage: Víctor Hugo García; direction et montage: Emilio Cantón. México ©1998

Table des matières